Станислав Чернышов
Алла Чернышова

ПОЕХАЛИ!

РУССКИЙ ЯЗЫК ДЛЯ ВЗРОСЛЫХ. НАЧАЛЬНЫЙ КУРС

РАБОЧАЯ ТЕТРАДЬ

2-е издание, дополненное

Санкт-Петербург
«Златоуст»

2020

1.2

УДК 811.161.1

Чернышов, С.И., Чернышова, А.В.
Поехали! Русский язык для взрослых. Начальный курс : рабочая тетрадь. Часть 1.2. — 2-е изд., доп. — СПб. : Златоуст, 2020. — 164 с.
Chernyshov, S.I., Chernyshova, A.V.
Let's go! Russian for adults. A course for beginners : workbook. Part 1.2. — 2nd ed., revised. — St. Petersburg : Zlatoust, 2020. — 164 p.

Зав. редакцией: А.В. Голубева
Редактор: М.О. Насонкина
Корректоры: Е.В. Артемьева, О.С. Капполь
Верстка: Л.О. Пащук
Художники:
К. Почтенная, И. Салатов, Н. Розенталь
Фотоматериалы: © Dreamstime.com, © Depositphotos.com
Обложка: ООО РИФ «Д'АРТ»

Комплекс предназначен для начинающих изучать русский язык и состоит из двух частей (1.1 и 1.2). Он рассчитан в среднем на 80–120 часов аудиторной работы. Каждая часть включает учебник, рабочую тетрадь с ключами, аудиоприложение. QR-коды со ссылками на аудиозаписи размещены в тексте издания.

Задача курса — обеспечение быстрого вывода языкового материала в речь на основе взаимосвязанного обучения всем видам речевой деятельности. В нём органично сочетаются коммуникативный и грамматический подходы, современная тематика и живой разговорный язык. Видеокурс с методическими рекомендациями для преподавателя размещен на сайте авторов.

Для продолжения курса рекомендуется учебник «Поехали! Русский язык для взрослых. Базовый курс» (2.1. и 2.2).

Познакомиться с вебинаром авторов можно по ссылке:
https://youtu.be/sAeOfh902Ps

ISBN 978-5-907123-09-0

Подготовка оригинал-макета: издательство «Златоуст».
Подписано в печать 12.11.19. Формат 60х90/8. Печ. л. 20,5. Печать офсетная. Тираж 5000 экз. Заказ № 1350.
Код продукции: ОК 005-93-953005.
Санитарно-эпидемиологическое заключение на продукцию издательства Государственной СЭС РФ № 78.01.07.953.П.011312.06.10 от 30.06.2010 г.
Издательство «Златоуст»: 197101, Санкт-Петербург, Каменноостровский пр., д. 24в, пом. 1–Н.
Тел.: (+7-812) 346-06-68, 703-11-78; e-mail: sales@zlat.spb.ru; http://www.zlat.spb.ru
Отпечатано в ООО «Аллегро».
196084, Санкт-Петербург, ул. К. Томчака, д. 28. Тел.: (+7-812) 388-90-00.

СОДЕРЖАНИЕ

УРОК 31

1

встречáться

я _____	мы _____
ты _____	вы _____
он/онá _____	они́ _____

вчерá он _____

онá _____

мы _____

фотографи́роваться

я _____	мы _____
ты _____	вы _____
он/онá _____	они́ _____

вчерá он _____

онá _____

мы _____

2

ЧТО ОНИ ДЕЛАЮТ?

3 **Модель:**

Дóбрый вéчер! Мы _____ концéрт. Тихо! Концéрт _____ . (начинáть/ся) ⇨
Дóбрый вéчер! Мы **начинаем** концéрт. Тихо! Концéрт **начинается**.

1. Когдá _____ кафé? Когдá вы _____ кафé? (закрывáть/ся)
2. Когдá дéти _____ мой сейф, он не _____ . (открывáть/ся)
3. Турúсты лю́бят _____ гóрод, но не лю́бят
_____ на пáспорт и вúзу. (фотографúровать/ся)
4. Футболúсты _____ на стадиóне. Я студéнт, я _____
интеллéкт! (тренировáть/ся)
5. Когдá преподавáтель _____ хорошó, студéнты хорошó _____ .
(учúть/ся)
6. Когдá я _____ красúвую дéвушку, я дéлаю комплимéнт, а потóм
мы _____ . (встречáть/ся)
7. В понедéльник я _____ нóвую жизнь. Нóвая жизнь _____
в понедéльник. (начинáть/ся)
8. Мы _____ упражнéние. Урóк _____ .
(закáнчивать/ся)

4

общáться, боя́ться, улыбáться, старáться, встречáться

5

1. Я изуча́ю ру́сский. Я _____ да́же ду́мать по-ру́сски. (стара́ться)

2. Роди́тели _____, когда́ де́ти _____ . (улыба́ться, смея́ться)

3. Студе́нты _____ сдава́ть экза́мены. А я не _____ , я геро́й! (боя́ться)

4. Сейча́с мы мно́го _____ в Интерне́те. (обща́ться)

5. Почему́ вы _____ ? Э́то не смешно́! (смея́ться)

6. Вы хоро́ший адвока́т? Я _____ на вас. (наде́яться)

7. Я всегда́ _____, когда́ _____ . (улыба́ться, фотографи́роваться)

6

	ката́ться	
я _____		мы _____
ты _____		вы _____
он/она́ _____		они́ _____

вчера́ он _____

она́ _____

мы _____

7

НА ЧЁМ ОНИ КАТА́ЮТСЯ?

на сноубóрде
на велосипéде
на рóликах
на мотоцúкле
на лы́жах
на скейтбóрде
на конькáх
на лóшади

8 ВАШИ ИДЕИ!

Лéтом мóжно катáться на ....

....

Зимóй мóжно катáться на ....

....

Сейчáс я хорошó ....

....

Рáньше я хорошó ....

....

Я не умéю ....

....

Я никогдá не ....

....

НОВЫЕ СЛОВА

♥ .... 💔 ....

....

....

....

....

Урок 32

1

Модель: карта (мир) ⇨ карта ми**ра**

но́мер (дом) _____
центр (го́род) _____
столи́ца (Йндия) _____
а́дрес (банк) _____
флаг (Аме́рика) _____
ка́рта (Евро́па) _____
дире́ктор (компа́ния) _____

дипло́м (Га́рвард) _____
ре́йтинг (оте́ль) _____
меню́ (рестора́н) _____
кни́га (Че́хов) _____
му́зыка (Бах) _____
а́втор (кни́га) _____
рекла́ма (йо́гурт) _____

2

Модель: — Чей э́то бага́ж? (тури́ст) ⇨
             — Это бага́ж тури́ст**а**.

1. — Чей э́то самолёт? (президе́нт)
   — _____

2. — Чья э́то фотогра́фия? (де́вушка)
   — _____

3. — Чья э́то поэ́ма? (Алекса́ндр Пу́шкин)
   — _____

4. — Чья э́то му́зыка? (Бетхо́вен)
   — _____

5. — Чьи э́то де́ньги? (инве́стор)
   — _____

6. — Чьё э́то письмо́? (клие́нт)
   — _____

7. — Чей э́то вопро́с? (журнали́ст)
   — _____

8. — Чей э́то биле́т? (пассажи́р)
   — _____

9. — Чьё э́то интервью́? (спортсме́нка)
   — _____

10. — Чей э́то скеле́т? (диноза́вр)
    — _____

3 Что вы хотите утром/днём/вечером? А ночью?
Как вы думаете, что хочет кошка?

 бутылка бокал чашка стакан кусок тарелка килограмм

....

....

....

....

....

....

Сейча́с я хочу́ ....

У́тром я хочу́ ....

Днём я хочу́ ....

Ве́чером я обы́чно хочу́ ....

Но́чью я ча́сто хочу́ ....

Ко́шка хо́чет ....

УРОК 32

4   СМОТРИМ НА КАРТИНКИ И ПИШЕМ, ЧЕГО НЕТ У СЕСТРЫ, А ЧЕГО НЕТ У БРАТА. **А У ВАС?**

косме́тика, мяч, пла́тье, зе́ркало, карти́на, рюкза́к, ноутбу́к, планше́т

У сестры́:

нет планшета

У бра́та:

У меня́ нет:

НОВЫЕ СЛОВА

♥

💔

УРОК 33

1

1. Сейча́с 2 _____ (маши́на) в семье́ — э́то норма́льно, а 2 _____ (жена́) и́ли 2 _____ (муж) — сли́шком мно́го!

2. Врачи́ говоря́т, что хорошо́ пить 2 _____ (литр) воды́ ка́ждый день.

3. Я зна́ю кла́ссную дие́ту! 2 _____ (ме́сяц) наза́д я была́ 72 _____ (килогра́мм), а сейча́с уже́ 54 _____ (килогра́мм)!

4. У драко́на 3 _____ (голова́), и ка́ждая ест 3 _____ (раз) в день!

5. Я слу́шаю вас то́лько 3 _____ (мину́та), и у меня́ уже́ боли́т голова́!

6. Наш магази́н рабо́тает 24 _____ (час), потому́ что Петербу́рг никогда́ не спит.

2

Без, для, после, у.

1. Я могу́ жить _____ (телеви́зор), но не могу́ жить _____ (Интерне́т).

2. Тру́дно путеше́ствовать _____ (ви́за) и _____ (па́спорт).

3. Прия́тно отдыха́ть _____ (рабо́та).

4. У меня́ есть хоро́шая иде́я _____ (би́знес).

5. Почему́ в магази́не «Всё _____ (спорт)» не продаю́т до́пинг?

6. Я не отдыха́ю _____ (рабо́та): я ка́ждый день хожу́ в фи́тнес-клу́б.

7. Éсли _____ (музыка́нт) нет _____ (тала́нт), он мо́жет игра́ть то́лько в большо́м орке́стре.

8. _____ (профе́ссор) есть вопро́сы _____ (экза́мен), а _____ (студе́нт) есть отве́ты _____ (профе́ссор).

3

БЕЗ ЧЕГО ВЫ МО́ЖЕТЕ ЖИТЬ, А БЕЗ ЧЕГО НЕТ?

> рабо́та, телеви́зор, Интерне́т, маши́на, семья́, еда́, стресс, свобо́да, де́ньги, мя́со, дом, вода́, Бог, литерату́ра, па́спорт, му́зыка, алкого́ль, мо́ре...

Я могу́ жить без _____

_____

Я не могу́ жить без _____

4 **БЕЗ ЧЕГО ЧЕЛОВЕК НЕ МОЖЕТ ЖИТЬ?**

• Как вы ду́маете, без чего́ не мо́гут жить ру́сские?
• Без чего́ не мо́гут жить лю́ди в ва́шей стране́?

СЛУШАЕМ И ПИШЕМ СЛОВА В ПРАВИЛЬНОЙ ФОРМЕ:

футбо́л, во́здух, вода́, мо́ре, еда́, шо́пинг, ба́ня, рабо́та, фи́тнес

Без чего́ челове́к не мо́жет жить?

WB01

Мы все зна́ем, что ду́мают врачи́: без _____ , без _____ ,
без _____ . Но у челове́ка обы́чно есть ещё ва́жные интере́сы, и ча́сто
лю́ди говоря́т, что без них не мо́гут жить. Вот, наприме́р, на́ши друзья́ Ду́бовы:
Ди́ма не мо́жет жить без _____ , О́льга не мо́жет без _____ ,
а И́горь не зна́ет, как жить без _____ . Их друг Свен не мо́жет жить
без _____ , а Хе́льга не лю́бит, когда́ _____ нет до́ма. У Влади́мира
и Ка́ти в жи́зни то́же есть ва́жные ве́щи: Влади́мир не мо́жет жить без _____ ,
а Ка́тя — без _____ .

• Без чего́ вы не мо́жете жить, а без чего́ мо́жете легко́?
• Как вы ду́маете, челове́к мо́жет жить без де́нег? Без любви́? Без свобо́ды?
• Как вы ду́маете, чего́ ещё нет в те́ксте: без чего́ жить тру́дно и́ли невозмо́жно?

5 **Для/чтобы.**

| ДЛЯ + Кого́? Чего́? |
| ЧТО́БЫ + Inf. |

Модель:

Э́то отли́чный костю́м, _____ танцева́ть, но э́то не оде́жда _____ рабо́ты. ⇨
Э́то отли́чный костю́м, чтобы танцева́ть, но э́то не оде́жда для рабо́ты.

1. Бе́дные лю́ди путеше́ствуют, _____ рабо́тать, а бога́тые лю́ди путеше́ствуют
   _____ о́тдыха.
2. У меня́ в кварти́ре нет ме́ста _____ соба́ки, но я хочу́ соба́ку, _____ гуля́ть
   ка́ждый ве́чер.
3. У меня́ есть хоро́шая иде́я _____ би́знеса, а у вас есть де́ньги, _____
   инвести́ровать.
4. Я ищу́ гости́ницу _____ соба́ки, _____ путеше́ствовать без соба́ки.
5. Все рабо́тают, _____ зараба́тывать де́ньги, а поли́тики рабо́тают _____
   страны́.
6. Сейча́с не вре́мя _____ па́ники! У нас есть всё, _____ не панкова́ть!
7. Я хожу́ на рабо́ту, _____ рабо́тать. Я мно́го де́лаю _____ компа́нии.
8. Я покупа́ю проду́кты _____ пи́ццы, _____ гото́вить еду́ _____ вечери́нки.

6

Смотрим на слова и говорим.

> ресторáн, кафé, дирéктор, контрóль,
> пóвар, телевúзор, Интернéт, библиотéка,
> бассéйн, врач, спортзáл, сад…

- Что есть в хорóшей шкóле?
- Плóхо, éсли в шкóле нет…
- Что обы́чно есть в шкóле в вáшей странé?

Читаем текст, пишем слова.

Шкóла в Áфрике

Привéт! Я волонтёр. Я рабóтаю в шкóле в Áфрике. От шкóлы до эквáтора 132 _____ (киломéтр)! У нас в шкóле тóлько 4 _____ (класс). Конéчно, шкóла бéдная: здесь нет _____ (библиотéка), _____ (спортзáл), _____ (кафé) и _____ (бассéйн), но есть рекá, 3 _____ (кóшка) и 2 _____ (собáка). У нас есть дáже стáрые компью́теры, но в шкóле ещё нет _____ (электрúчество). У _____ (я) в клáссе нет ничегó, тóлько дéти и я. Рабóта трýдная, но óчень креатúвная!

- Это хорóшая шкóла?
- Как вы дýмаете, дéти лю́бят её?
- Почемý?

7

Делаем презентации. Хорошо, если у вас есть фотографии.

Тéма 1: «Наш гóрод, странá, дерéвня».

Я живý в _____

У нас есть _____

_____

Жаль, что у нас нет _____

_____

Хорошó, что у нас нет _____

Тéма 2: «Наш университéт, нáша шкóла, наш класс».

У нас в шкóле / в университéте / в клáссе есть ....

....

....

Жаль, что у нас нет ....

....

....

Хорошó, что у нас нет ....

....

....

....

....

НОВЫЕ СЛОВА

УРОК 34

	был	па́спорт.			па́спорта.
У меня́	**бы́ло**	вре́мя.	У меня́	**не́ было**	вре́мени.
	была́	ви́за.			ви́зы.

1

+   **−**

У меня́ _был_____ мотоци́кл.   У меня́ не́ было мотоцикла.

У меня́ _____ гита́ра.

У меня́ _____ вре́мя.

У меня́ _____ маши́на.

У меня́ _____ велосипе́д.

У меня́ _____ сва́дьба.

2   ПИШЕМ, ЧТО У ВАС БЫЛО И ЧЕГО НИКОГДА НЕ БЫЛО.

У меня́ был	У меня́ была́	У меня́ бы́ло	У меня́ не́ было

3   КАК ВЫ ДУМАЕТЕ, ЧТО БЫЛО В **СССР** И ЧЕГО НЕ БЫЛО? **А** У ВАШИХ РОДИТЕЛЕЙ?
ДУМАЕМ И ПИШЕМ, ПОТОМ ОБСУЖДАЕМ В КЛАССЕ.

Модель:

В СССР был/была́/бы́ло/бы́ли...   В СССР не́ было... ⇨

В СССР была́ медицина / бы́ло образование / не́ было бизнеса...

би́знес	президе́нт	па́ртия	рабо́та
ко́ка-ко́ла	«Макдо́налдс»	рок-му́зыка	комфо́рт
безрабо́тица	рели́гия	вы́бор	капитали́зм
во́дка	контро́ль	демокра́тия	культу́ра
любо́вь	свобо́да	...	

был	была́	не́ было

4

Модель:

— Почему́ ты не писа́л? (а́дрес) ⇨
— Я не писал, **потому что** у меня **не было** адреса.

1. — Почему́ вы не е́здили в круи́з? (де́ньги)

— _____.

2. — Почему́ вы не ходи́ли гуля́ть? (оде́жда)

— _____.

3. — Почему́ вы не изуча́ли ру́сский (учи́тель)

— _____.

4. — Почему́ вы не ходи́ли в фи́тнес-клуб? (вре́мя)

— _____.

5. Почему́ вы не слу́шали ле́кцию? (интере́с)

— _____.

6. — Почему́ ты не звони́л? (телефо́н)

— _____.

7. — Почему́ вы не́ были в Аме́рике? (ви́за)

— _____.

8. — Почему́ вы не смотре́ли бале́т? (биле́т)

— _____.

5 **Пишем, что есть в гостинице и чего нет.**

_____ _____ _____ _____ _____

_____ _____ _____ _____ _____

_____ _____ _____ _____ _____

_____ _____ _____

СЛУШАЕМ ДИАЛОГИ И ВЫБИРАЕМ ОТВЕТЫ. ЧИТАЕМ ДИАЛОГИ, ПИШЕМ СЛОВА, ПОТОМ СЛУШАЕМ И ПРОВЕРЯЕМ.

WB02

Диалог 1

Клиент брони́ровал:	☐ одноме́стный но́мер	☐ двухме́стный но́мер
В гости́нице есть:	☐ одноме́стный но́мер	☐ двухме́стный но́мер
Кто всегда́ прав?	☐ администра́тор	☐ клие́нт

на две но́чи, други́е гости́ницы, не моя́ проблема,
клие́нт, двухме́стный

— Здра́вствуйте!

— До́брый день! Я вас слу́шаю!

— Я брони́ровал но́мер. Меня́ зову́т Андре́й Плато́нов.

— Да, ви́жу, двухме́стный, _____.

— Нет, извини́те, был одноме́стный!

— У меня́ в систе́ме _____.

— Стра́нно! Понима́ете, я оди́н... Как ми́нимум сейча́с...

— Извини́те, но э́то _____.

— Извини́те, но я ду́маю, что э́то ва́ша оши́бка. Вы не зна́ете, здесь есть

_____ ?

— Зна́ете что, вы мо́жете жить там оди́н и плати́ть как за одноме́стный.

— Пра́вда? Спаси́бо большо́е!

— Что вы, _____ всегда́ прав!

КАК ВЫ ДУМАЕТЕ, КТО ПРАВ: КЛИЕНТ ИЛИ АДМИНИСТРАТОР?

Диалог 2

WB03

Клиéнт хóчет:
- [ ] одномéстный нóмер
- [ ] двухмéстный нóмер
- [ ] нóмер на 2 дня
- [ ] нóмер на 3 нóчи

В нóмере есть:
- [ ] душ
- [ ] телевúзор
- [ ] мúни-бар
- [ ] Интернéт
- [ ] вид на мóре
- [ ] вид на гóрод

ключú, на однý ночь, кредúтную кáрту,
свобóдные номерá, а скóлько стóит

— Здрáвствуйте!

— Дóбрый день! Я вас слýшаю.

— У вас есть _____ ?

— Да, конéчно! Вас интересýют одномéстные úли двухмéстные?

— Двухмéстный.

— Отлúчно! _____ ?

— Нет, на 3 нóчи.

— Однý минýточку... На 3 нóчи... да, есть нóмер на вторóм этажé, в нóмере есть душ и мúни-бáр.

— А телевúзор?

— Телевúзор не рабóтает, но есть Интернéт и прекрáсный вид на рéку и центр гóрода.

— _____ ?

— У нас сейчáс **скúдки**, нóмер стóит 4 тысячи.

— Хм... Недóрого. Хорошó, идёт!

— Пожáлуйста, ваш пáспорт.

— Пожáлуйста, вот он.

— Так, вот бланк, здесь вы пúшете фамúлию, здесь — úмя, тут — нóмер пáспорта, а там — дáту.

— Так... Готóво!

— И мóжно вáшу _____ , пожáлуйста!

— Вот онá!

— Спасúбо! Вот вáши _____ , ваш нóмер 125. Зáвтрак на пéрвом этажé.

— Спасúбо, я óчень рад!

УРОК 34

СВОЙ — СВОЯ — СВОЁ — СВОЙ

его
свой
её

7

Пишем свой в разных формах или его/её/их.

1. Это наш сосе́д, а э́то _____ гита́ра. Он о́чень лю́бит _____ гита́ру, а мы не лю́бим слу́шать _____ гита́ру.

2. Это А́нна. Это _____ сестра́. Я не зна́ю _____ сестру́. А́нна лю́бит сестру́.

3. Пассажи́ры пока́зывают _____ биле́ты. Контролёр смо́трит _____ биле́ты.

4. Лю́ди ду́мают, что то́лько они́ зна́ют _____ секре́ты. Кто ещё зна́ет _____ секре́ты? А вы хоти́те знать _____ секре́ты? У вас есть _____ секре́ты?

5. Толсто́й мно́го писа́л о _____ жи́зни. Мы мно́го зна́ем о _____ жи́зни.

6. Пётр Пе́рвый люби́л _____ Петербу́рг. Все тури́сты лю́бят _____ го́род.

7. Тури́ст пока́зывает _____ па́спорт и _____ ви́зу. Офице́р смо́трит _____ па́спорт и ви́зу.

8. Это психо́лог. _____ клие́нты говоря́т о _____ пробле́мах. Он анализи́рует _____ пробле́мы. Он говори́т об _____ пробле́мах, но не говори́т о _____ пробле́мах.

9. Все зна́ют Эйнште́йна и _____ тео́рию, но ма́ло кто понима́ет _____ тео́рию. Я наде́юсь, он понима́л _____ тео́рию.

10. Писа́тели пи́шут _____ кни́ги. Мы чита́ем _____ кни́ги. Что интере́снее: чита́ть _____ кни́ги и́ли писа́ть _____?

НОВЫЕ СЛОВА

♥ _____

💔 _____

22

ЛЕТЕ́ТЬ

Она́ _____ в Амстерда́м.
Ты _____ в И́ндию.
Пти́цы _____ на юг.
Она́ _____ домо́й.
Вы _____ в Пра́гу.
Мы _____ в Ме́ксику.

ЛЕТА́ТЬ

Пого́да плоха́я, самолёты не _____ .
Мы иногда́ _____ на юг.
Вы ча́сто _____ в Росси́ю?
Ты е́здишь так бы́стро, про́сто _____ !
Кто ча́сто _____ в Аме́рику?
Я мно́го _____ на самолёте.

ПЛЫТЬ

Мы _____ в А́нглию.
Я _____ на о́стров.
Тури́сты _____ на Яма́йку.
Поля́рники _____ на по́люс.
Я́хта _____ на Ма́льту.
Вы _____ в Стокго́льм.

ПЛА́ВАТЬ

Ты хорошо́ _____ ?
Мы ча́сто _____ в Петерго́ф.
Вы _____ в бассе́йне?
Кто _____ в Неве́?
Дельфи́ны краси́во _____ .
Я _____ ка́ждое у́тро.

БЕЖА́ТЬ

Ле́на _____ в парк.
Вы _____ на уро́к.
Мы _____ на по́езд.
Куда́ ты _____ ?
Я _____ на рабо́ту.
Почему́ все _____ ?

БЕ́ГАТЬ

Ты _____ ме́дленно.
Ле́на _____ в па́рке.
Я _____ бы́стро.
Футболи́сты мно́го _____ .
Вы _____ ка́ждый день?
Мы официа́нты. Мы _____ на рабо́те.

 2 **Что они делают?**

Модель: Маши́ны ⇨ маши́ны ездят.

Ры́бы _____ , пти́цы _____ , мину́ты _____ ,
самолёты _____ , корабли́ _____ , мотоци́клы _____ ,
дожди́ _____ , лю́ди _____ ,
я́хты _____ , футболи́сты _____ , пассажи́ры _____ ,
дельфи́ны _____ , космона́вты _____ , велосипе́ды _____ .

3

Модель:

«Привéт! Кудá ты _____ ?» — «В парк. Я кáждое ýтро _____ !» (бежáть/бéгать) ⇨
«Привéт! Кудá ты бежишь?» — «В парк. Я кáждое ýтро бéгаю!»

1. «Вы сегóдня _____ на концéрт?» — «Да, мы кáждую недéлю _____
   на концéрты!» (идти/ходи́ть)

2. «Ты сегóдня _____ в Москвý на самолёте?» — «Да, но я рéдко _____
   в Москвý. Обы́чно éзжу на пóезде». (летéть/летáть)

3. «Кудá обы́чно _____ этот корáбль?» — «Он обы́чно _____
   в Норвéгию. Сейчáс он _____ на фьóрды». (плыть/плáвать)

4. «В выходны́е мы обы́чно _____ на дáчу». — «А зáвтра вы тóже _____
   на дáчу?» (éхать/éздить)

5. «Мы зáвтра _____ на Сарди́нию!» — «Клáссно! Мы _____ в прóшлом
   годý». (плыть/плáвать)

6. Бизнесмéн чáсто _____ в Нью-Йóрк, но сегóдня он _____ в Сан-
   Франци́ско. (летéть/летáть)

7. Я óчень люблю́ _____ на пóезде. Скóро я _____ на «Транссиби́рском
   экспрéссе». (éхать/éздить)

8. «Говоря́т, ты скóро _____ в Ирлáндию?» — «Нет, я год назáд _____
   в Ирлáндию. Я скóро _____ в Ислáндию». (летéть/летáть)

9. «О! Ты _____ кáждое ýтро?» — «Нет, я прóсто сейчáс _____
   на рабóту». (бежáть/бéгать)

10. Мы рáньше _____ в óтпуск в Тýрцию, но в этом годý мы _____
    Крым. (éхать/éздить)

4

КУДА́ ВЫ ХОДИ́ЛИ/ЕЗДИЛИ? ГДЕ ВЫ БЫ́ЛИ? ОТКУДА ВЫ ИДЁТЕ/ЕДЕТЕ?

Модель: óфис — рабóта

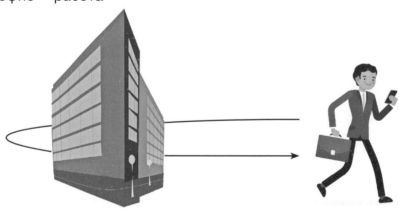

Где вы бы́ли?	**Откýда вы идёте?**	**Кудá вы ходи́ли?**
Я был в óфисе на рабóте.	Я идý из óфиса с рабóты.	Я ходи́л в óфис на рабóту.

Где вы бы́ли?	Отку́да вы идёте/éдете?	Куда́ вы ходи́ли/éздили?
	Ве́на — о́пера	
	Ватика́н — экску́рсия	
	рестора́н — встре́ча	
	Гре́ция — о́стров	

5 ОТКУДА, КУДА И НА ЧЁМ ОНИ СЕЙЧАС ЕДУТ/ЛЕТЯТ/ПЛЫВУТ?

Модель: Я, кора́бль, Петербу́рг — Стокго́льм ⇨
Я плыву́ на корабле́ из Петербу́рга в Стокго́льм.

1. Мы, самолёт, Мю́нхен — Бангко́к

2. Я, по́езд, Москва́ — Ирку́тск

3. О́льга, самолёт, Лос-А́нджелес — Ве́на

4. И́горь и О́льга, авто́бус, Та́ллин — Ри́га

5. Джу́лия, кора́бль, Флори́да — Барбадо́с

6. Вы, по́езд, Ки́ев — Москва́

7. Па́па, самолёт, Рим — Богота́

8. Ты, велосипе́д, Берли́н — Пра́га

9. Тури́сты, электри́чка, Петербу́рг — Га́тчина

10. Я, самолёт, Ло́ндон — О́сака.

1

	мно́го		мно́го
студе́нт	студентов	гости́ница	
тури́ст		маши́на	
клуб		пробле́ма	
докуме́нт		страна́	
го́род		ме́сто	
до́ллар		соба́ка	
киломе́тр		сло́во	

	мно́го
оте́ль	
рубль	
но́вость	
гость	
друзья́	
лю́ди	
де́ти	

2

Модель: Сего́дня у (же́нщина) ма́ло (ребёнок). ⇨
Сего́дня у же́нщин ма́ло дете́й.

1. В Росси́и мно́го _____ (ресу́рс), но ма́ло _____ (челове́к).

2. В Москве́ мно́го _____

_____

(поли́тик, бизнесме́н, банк, рестора́н, теа́тр, университе́т, маши́на и де́ньги).

3. В Санкт-Петербу́рге мно́го _____

_____ (музе́й, теа́тр, река́, кана́л, мост и тури́ст).

4. В Эрмита́же мно́го _____

_____ (карти́на, скульпту́ра, ва́за, тури́ст и ко́шка).

5. В Со́чи мно́го _____

_____ (гора́, гости́ница, тури́ст, спортсме́н, рестора́н, бар).

6. В университе́те мно́го _____

_____ (профе́ссор, преподава́тель, ле́кция, кни́га, студе́нт и студе́нтка).

7. В Кита́е мно́го _____

_____ (фа́брика, заво́д, челове́к), но ма́ло _____ (ребёнок).

8. В А́фрике мно́го _____

(страна́, челове́к, ребёнок), но ма́ло _____

_____ (университе́т, шко́ла, больни́ца, де́ньги).

9. В ко́смосе нет _____

(гости́ница, бар, магази́н, музе́й, ви́за и ребёнок), ма́ло

_____ (челове́к, тури́ст) и мно́го _____ (плане́та).

10. На у́лице мно́го _____

(маши́на, авто́бус, велосипе́д, дом, магази́н), ма́ло _____

(соба́ка и ко́шка) и нет _____ (танк и медве́дь).

3

Моде́ль: — Чего́ у вас мно́го/ма́ло/нет? ⇨

— У меня́ до́ма **мно́го** проду́ктов, **ма́ло** книг и **нет** комаро́в.
У меня́ на рабо́те сли́шком **мно́го** докуме́нтов.

> кни́га, проду́кт, друг, пробле́ма, секре́т, ви́рус, фотогра́фия, де́ньги,
> докуме́нт, игра́, карти́на, ребёнок, фильм, диск, помо́щник, вещь,
> план, програ́мма, вопро́с...

У меня́ до́ма   мно́го _____

ма́ло _____

нет _____

У меня́ на рабо́те   мно́го _____

ма́ло _____

нет _____

У меня́ в компью́тере   мно́го _____

ма́ло _____

нет _____

У меня́ в жи́зни   мно́го _____

ма́ло _____

нет _____

4

Ску́чно жить без _____

Тру́дно жить без _____

Легко́ жить без _____

Невозмо́жно жить без _____

Живо́тные мо́гут жить без _____

УРОК 36

«ВКонтакте»

**В России популярно регистрироваться и общаться в социальной сети «ВКонтакте».
Когда вы регистрируетесь, вы отвечаете на вопросы:**

Имя	
Фами́лия	
Пол	
Семе́йное положе́ние	
День рожде́ния	
Языки́	
Страна́	
Го́род	
Роди́тели	
Бра́тья, сёстры	
Де́ти	
Моби́льный телефо́н	
Интере́сы	
Люби́мая му́зыка	
Люби́мые фи́льмы	
Люби́мые кни́ги	
Люби́мые и́гры	
Люби́мые цита́ты	
Образова́ние	
Рабо́та	
Веб-са́йт	
Полити́ческая пози́ция	
Рели́гия	
Гла́вное в жи́зни	
Гла́вное в лю́дях	

> жена́т
> за́мужем
> встреча́юсь
> всё сло́жно
> в акти́вном
> по́иске

6 Проект.
В соцсети «ВКонтакте» можно создавать группы о жизни, музыке, интересах, фильмах, известных людях, профессии, политике, спорте.
Какую группу вы открываете? Как она называется? Какую информацию вы хотите там давать?

7 Чего здесь много/мало/нет?

В Евро́пе: ....
....
....

В Аме́рике: ....
....
....

В Росси́и: ....
....
....

В Кита́е: ....
....
....

В Япо́нии: ....
....
....

Где вы живёте? Чего у вас много/мало/нет?

....
....
....
....

НОВЫЕ СЛОВА

♥ ....   💔 ....
....
....
....

1

1	франк	рубль	йена	до́ллар
4	фра́нка			
12	фра́нков			
53	фра́нка			
48	фра́нков			
681	франк			
1322	фра́нка			
4878	фра́нков			

2

Модель: В ру́сском алфави́те 33 (бу́ква). ⇨ В ру́сском алфави́те 33 буквы.

Россия́ в ци́фрах

1. Россия́ — са́мая больша́я страна́ ми́ра, её террито́рия — 17 075 400 квадра́тных _____ (киломе́тр). Она́ бо́льше _____ (Аме́рика) и _____ (Кита́й) почти́ в 2 _____ (раз). Террито́рия _____ (Россия) почти́ как плане́та Плуто́н.

2. Транссиби́рская желе́зная доро́га са́мая дли́нная в ми́ре. Путь от _____ (Москва́) до _____ (Владивосто́к) — 9298 _____ (киломе́тр), он идёт через 87 _____ (го́род) и 16 _____ (река́).

3. Дistáнция от _____ (Аме́рика) до _____ (Россия) то́лько 4 _____ (киломе́тр).

4. Сосе́ди Росси́и — 16 _____ (страна́).

5. В моско́вском метро́ почти́ 10 000 _____ (по́езд), они́ хо́дят ка́ждые 90 _____ (секу́нда).

6. Социо́логи говоря́т, что 28 % _____ (проце́нт) ру́сских никогда́ не пьют алкого́ль, 26 % пьют ре́же чем 1 раз в ме́сяц, 16 % — раз в ме́сяц, 14 % пьют 2–4 ра́за в ме́сяц, 9 % — раз в неде́лю, 6 % — не́сколько _____ (раз) в неде́лю.

7. А вы зна́ете, что в Росси́и 170 _____ (язы́к)?

8. В Росси́и в 2017 году́ бы́ло 146 804 370 _____ (жи́тель). Э́то мно́го и́ли ма́ло?

3 ВРЕМЯ.

21:12
двадцать один час двенадцать минут

07:30

01:48

17:02

03:04

22:31

11:57

02:35

1 + Nom.	2, 3, 4 + Gen. sing.	Сколько? Мно́го… 5, 6, 7, 8… + Gen. pl.
раз	ра́за	раз
челове́к	челове́ка	челове́к
брат	бра́та	бра́тьев
стул	сту́ла	сту́льев
сестра́	сестры́	сестёр
звезда́	звезды́	звёзд

4

1. Актёры 100 _____ (раз) игра́ли «Три _____ (сестра́)» Че́хова.

2. Я люблю́ люде́й! У меня́ 7 000 000 000 _____ (брат и сестра́).

3. У меня́ 2 _____ (сестра́) и 3 _____ (брат) — у нас в семье́ 8 _____ (челове́к).

4. Я был в Голливу́де мно́го _____ (раз) и ви́дел на у́лице мно́го _____ (звезда́).

5. У нас есть стол на 12 _____ (челове́к), но то́лько 8 _____ (стул).

6. У нас в о́фисе рабо́тает 24 _____ (челове́к), ка́ждое у́тро я говорю́ «Приве́т!» 23 _____ (раз).

7. В гру́ппе 9 _____ (челове́к) и то́лько 4 _____ (стул). Зна́чит, 5 _____ (челове́к) без _____ (стул).

8. У э́той гости́ницы 3 _____ (звезда́), но она́ сто́ит как 5 _____ (звезда)!

5

Что покупают эти люди?

☐ **Список продуктов:**

Картошка — 5 кг

Яблоки — 3 кг

Курица — 2

Мясо — 1 кг

Молоко — 3 бут.

Йогурт — 10

☐ **Список продуктов:**

Сосиска — 8

Сникерс — 3

Банан — 6

Пиво — 4

☐ **Список на 25 чел.**

Салат «Оливье» — 10

Салат из овощей — 15

Шашлык — 14

Котлета по-киевски — 8

Лазанья — 3

Десерт — 25

Вино — 12 бут.

Лимонад — 10 л

Вода — 25 бут.

☐ **Список продуктов:**

Молоко — 1 бут.

Хлеб — 1

Картошка — 1 кг

Пять килограммов картошки

32

6 **Делаем презентацию.**

Интере́сные ци́фры и фа́кты о ва́шей стране́, го́роде, ме́сте, где вы живёте. Хорошо́, е́сли у вас есть ка́рта и фотогра́фии.

НОВЫЕ СЛОВА

УРОК 38

1

Пишем правильные формы и номер картинки.

1	чáшка (чёрный чай)	чашка чёрного чая
	стакáн (томáтный сок)	
	тарéлка (грибнóй суп)	
	бутýлка (холóдная водá)	
	бутýлка (итальянское винó)	
	килогрáмм (швейцáрский сыр)	
	килогрáмм (зелёные яблоки)	
	кусóк (чёрный хлеб)	

2

Много/мало/нет.

В университéте _____

(ýмные студéнты, тóлстые кнúги, трýдные экзáмены, красúвые дéвушки)

В аэропортý _____

(большúе чемодáны, красúвые стюардéссы, дорогúе ресторáны)

В гóроде _____

(высóкие домá, дорогúе машúны, рáзные магазúны, чúстый вóздух)

В ресторáне _____

(рáзные блюда, хорóшая едá, вкýсные десéрты, большúе чаевые)

В мóре _____

(красúвые корáллы, опáсные рыбы, большúе корабли, счастлúвые турúсты)

В мúре _____

(богáтые стрáны, счастлúвые люди, чúстая водá, красúвые живóтные)

3

Модель:

У нас мно́го те́хники из _____ (Ю́жная Коре́я). ⇨
У нас мно́го те́хники из Ю́жной Коре́и.

1. Са́ша изуча́ет эконо́мику _____ (Се́верная Аме́рика).
2. Кора́бль плывёт с _____ (Се́верный по́люс).
3. Э́то го́сти из _____ (Ара́бские Эмира́ты).
4. Здесь рабо́тают лю́ди из _____ (Центра́льная А́зия).
5. Тури́сты е́дут из _____ (Вели́кий Но́вгород).
6. У вас есть кора́ллы из _____ (Кра́сное мо́ре)?
7. Мы еди́м икру́ с _____ (Да́льний Восто́к).
8. Мы лю́бим му́зыку и та́нцы _____ (Лати́нская Аме́рика).

4 Пишем даты.

Пе́рвый фильм — 06.01.1896

_____

Пе́рвый челове́к в ко́смосе — 12.04.1961

_____

Пе́рвый челове́к на Луне́ — 20.07.1969

_____

Пе́рвый междунаро́дный футбо́льный матч — 30.11.1872

_____

Пе́рвый телефо́н — 10.03.1876

_____

Пе́рвый интерне́т-сайт — 06.08.1991

_____

5

ТЕСТ НА ЗНАНИЕ РУССКОЙ КУЛЬТУРЫ

Вы хорошо знаете русскую культуру? Что вы читали, слушали и смотрели? Смотрим и думаем, кто автор.

Мастер и Маргарита

ЗЕРКАЛО

XI МЕЖДУНАРОДНЫЙ КИНОФЕСТИВАЛЬ ИМ. АНДРЕЯ ТАРКОВСКОГО

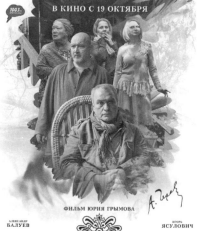

В КИНО С 19 ОКТЯБРЯ

ФИЛЬМ ЮРИЯ ГРЫМОВА

АЛЕКСАНДР БАЛУЕВ   ИГОРЬ ЯСУЛОВИЧ
МАКСИМ СУХАНОВ   АЛЕКСАНДР ПАШУТИН
ИГОРЬ ЯЦКО   ВЛАДИМИР НОСИК

ТРИ СЕСТРЫ

Модель:

«Снегу́рочка» — Ри́мск**ий**-Ко́рсак**ов** ⇨
«Снегу́рочка» — о́пера Ри́мск**ого**-Ко́рсак**ова**

«Подру́га» — Цвета́ев**а** ⇨
«Подру́га» — кни́га Цвета́ев**ой**

«Идио́т»		Толсто́й
«А́нна Каре́нина»		Булга́ков
«Евге́ний Оне́гин»	рома́н	Маяко́вский
«Хорошо́!»	фильм	Че́хов
«Лебеди́ное о́зеро»	поэ́ма	Му́соргский
«Компози́ция VIII»	му́зыка	Канди́нский
«Поэ́ма без геро́я»	карти́на	А́нна Ахма́това
«Карти́нки с вы́ставки»	дра́ма	Тарко́вский
«Зе́ркало»	кни́га	Чайко́вский
«Три сестры́»		Пу́шкин
«Ма́стер и Маргари́та»		Достое́вский

6 **ПРАЗДНИКИ.**
КАКИЕ ПРАЗДНИКИ ЕСТЬ В ВАШЕЙ СТРАНЕ? КОГДА И КАК ВЫ ИХ ПРАЗДНУЕТЕ?

1. Но́вый год   пе́рвого января́
2. ....
3. ....
4. ....
5. ....
6. ....
7. ....
8. ....

7 **ПРОЕКТ.**
КАКОЙ ЕЩЁ ПРАЗДНИК ВЫ МОЖЕТЕ ОРГАНИЗОВАТЬ?
МОЖЕТ БЫТЬ, ДЕНЬ ЕДЫ ИЛИ ДЕНЬ ПРИРОДЫ, ДЕНЬ РОДИТЕЛЕЙ ИЛИ ДЕНЬ СОЛНЦА?
КОГДА МОЖЕТ БЫТЬ ЭТОТ ПРАЗДНИК И ПОЧЕМУ В ЭТОТ ДЕНЬ?
ЧТО НАДО ДЕЛАТЬ, ЧТО МОЖНО ДАРИТЬ?

НОВЫЕ СЛОВА

УРОК 39

1

Модель: Мы смо́трим на _____ . ⇨ Мы смо́трим на фото́графа.

Фото́граф фотографи́рует _____ .

Тури́сты слу́шают _____ .

Худо́жник рису́ет _____ .

Челове́к ест _____ ?

2

1. Вы зна́ете _____ (Га́рри По́ттер)?
2. В Герма́нии лю́бят _____ (Михаи́л Горбачёв).
3. Все зна́ют _____ (Альбе́рт Эйнште́йн), но не все понима́ют.
4. _____ (Кто) вы бо́льше лю́бите, _____ (ко́шки и́ли соба́ки)?
5. Вы хорошо́ зна́ете _____ (сосе́ди)?
6. Хорошо́, когда́ муж лю́бит _____ (жена́), а жена́ лю́бит _____ (муж)!
7. Я люблю́ _____ (го́сти) и не люблю́ быть оди́н.
8. В Таила́нде я ел _____ (крокоди́л), а он меня́ — нет.
9. Кто э́то гото́вил?! Я хочу́ ви́деть _____ (по́вар)!
10. На филологи́ческом факульте́те я ви́дел _____ (студе́нтки) и не ви́дел _____ (студе́нты).
11. Не все лю́бят _____ (тури́сты), но все лю́бят их де́ньги.
12. Когда́ вы чита́ете _____ (э́та кни́га), вы понима́ете _____ (а́втор)?

3

ждать		
я _____	мы _____	
ты _____	вы _____	**+ кого́?**
он/она́ _____	они́ _____	

4

1. Анто́н _____ А́нну. 2. Вчера́ А́нна _____ Анто́на. 3. Вы нас _____ ? 4. Я вчера́ _____ тебя́ два часа́. 5. Гид _____ тури́стов. 6. Мари́на _____ любо́вь. 7. Такси́сты _____ пассажи́ров. 8. Де́ти в Но́вый год _____ Де́да Моро́за. 9. Кого́ вы _____ ? 10. Снача́ла официа́нт _____ клие́нтов, а пото́м клие́нты _____ официа́нта. 11. Что лу́чше: когда́ вы _____ и́ли когда́ други́е лю́ди _____ вас?

5 **Кого вы любите читать? Кого вы читали?**

Я чита́л...	
Я никогда́ не чита́л...	
Популя́рно чита́ть...	
Тру́дно чита́ть...	

Уилья́м Шекспи́р Сэлинджёр Марк Твен
Плато́н Джордж О́руэлл Михаи́л Булга́ков
Сти́вен Кинг То́лкин Андерсён
Ага́та Кри́сти А́нна Ахма́това Серва́нтес
Достоёвский Сте́фан Цвейг Толсто́й

6 **Который.**

У меня́ есть кни́га, о _____ ты говори́л.
_____ я не чита́л.
_____ у тебя́ нет.
_____ называ́ется «Война́ и мир».

Это фильм, _____ называ́ется «Левиафа́н».
о _____ все говоря́т.
_____ я рекоменду́ю.

7 **Пишем свои варианты.**

Я люблю́ люде́й, кото́рые _____

у кото́рых _____

кото́рых _____

Я не уважа́ю челове́ка, кото́рый _____

для кото́рого _____

у кото́рого _____

Я хочу́ учи́тельницу, кото́рая _____

кото́рую _____

у кото́рой _____

для кото́рой _____

8 Смотрим на карты. Вы видите разницу? Как вы думаете, это одна страна или разные? Какие республики были в СССР, а сейчас их нет в России?

Читаем текст. Пишем который в правильной форме.

Ру́сский вопро́с

Ра́ньше иностра́нцы ду́мали, что «ру́сские» — э́то все лю́ди из 15 респу́блик, _____ бы́ли в СССР. Тепе́рь для иностра́нцев «ру́сский» — э́то ка́ждый челове́к, у _____ есть па́спорт Росси́йской Федера́ции. А для челове́ка, _____ живёт в Росси́и, всё не так про́сто.

В стране́, в _____ 172 языка́ и мно́го национа́льных респу́блик, есть мно́го люде́й, _____ говоря́т, что они́ не ру́сские, а тата́ры, евре́и, чече́нцы и так да́лее. Есть лю́ди, _____ живу́т в други́х стра́нах, у _____ есть друго́й па́спорт, но _____ говоря́т, что они́ ру́сские.

Мо́жет быть, ру́сский — э́то челове́к, у _____ ру́сское и́мя и фами́лия? И́ли челове́к, для _____ ру́сский язы́к родно́й? Да, э́то ва́жно, но э́то не всё. Мо́жет быть, э́то челове́к, _____ лю́бит ру́сскую ку́хню и слу́шает ру́сскую му́зыку? У _____ «ру́сская душа́»? Челове́к, _____ смо́трит ру́сские фи́льмы и хорошо́ зна́ет литерату́ру, _____ ру́сские чита́ют в шко́ле? Э́то вопро́с, на _____ тру́дно отве́тить.

Как вы думаете, русские — это кто? А американцы, немцы, французы, китайцы?..

....

....

....

....

....

....

....

НОВЫЕ СЛОВА

....

....

....

....

УРОК 40

1

Модель: холо́дный ⇨ холодн**е́е**

1. Лю́ди _____, чем живо́тные. (у́мные)
2. Жизнь в го́роде _____, чем в дере́вне. (акти́вная)
3. Чита́ть ко́миксы _____, чем чита́ть контра́кты. (интере́сно)
4. Ру́сский язы́к _____, чем англи́йский. (тру́дный)
5. Отдыха́ть _____, чем рабо́тать. (прия́тно)
6. Торт _____, чем суп. (вку́сный)
7. Лю́ди _____, чем докуме́нты. (ва́жные)
8. Телеви́зор _____, чем теа́тр. (популя́рный)

2

Модель: ра́но — раньше

большо́й/мно́го — _____   далеко́ — _____
ма́ленький/ма́ло — _____   бли́зкий — _____
хоро́ший — _____   лёгкий — _____
ста́рый — _____   дорого́й — _____
ти́хий — _____   ча́сто — _____
молодо́й — _____   дешёвый — _____
плохо́й — _____   бога́тый — _____
гро́мкий — _____   ра́но — _____

3

Вы помните эти слова?

труднée – легче	лу́чше — _____
беднée — _____	ста́рше — _____
бо́льше — _____	доро́же — _____

4

1. Отдыха́ть на мо́ре _____, чем до́ма. (до́рого)
2. Почему́ муж обы́чно _____, чем жена́? (ста́рый)
3. Мы мо́жем _____, чем мы ду́маем. (мно́го)
4. Мы де́лаем _____, чем мы мо́жем. (ма́ло)
5. Герма́ния _____ от Росси́и, чем Аме́рика. (далеко́)
6. Чита́ть кни́ги _____, чем писа́ть кни́ги. (легко́)
7. Килогра́мм шокола́да _____, чем килогра́мм бриллиа́нтов. (дёшево)
8. Зимо́й мы встаём _____, чем со́лнце. (ра́но)
9. Мы говори́м по-ру́сски _____, чем наш учи́тель. (пло́хо)

42

5 СМОТРИМ НА ПАРЫ СЛОВ И СРАВНИВАЕМ.
У КОГО БОЛЬШЕ ИДЕЙ?

ребёнок — соба́ка ко́миксы — рома́ны вода́ — во́дка

рабо́тать — отдыха́ть зараба́тывать — плати́ть

гото́вить — есть де́ти — взро́слые му́зыка — спорт

о́пера — коме́дия жизнь — фильм

6   Сравниваем! Кто больше?

Модель:

ананáс — картóшка ⇨
Ананáс вкуснéе, **чем** картóшка. **(что?)** =
Ананáс вкуснéе картóшк**и. (чегó?)**

дéвушка — бáбушка ....

....

....

дéньги — бумáга ....

....

....

зимá — лéто ....

....

....

свечá — лáмпа ....

....

....

самолёт — автóбус ....

....

....

бассéйн — мóре ....

....

....

родúтели — ребёнок ....

....

....

7 СЛУШАЕМ И ПИШЕМ СЛОВА В ДИАЛОГИ. ОТВЕЧАЕМ НА ВОПРОСЫ.

WB04

Диалог 1

• Како́й па́рень лу́чше: у́мный, бога́тый, тала́нтливый, весёлый, спорти́вный?

— Приве́т! А э́то кто был в кино́ вчера́? У тебя́ но́вый па́рень?
— Да! А что?
— Про́шлый был _____ .
— Да ну! Э́тот и _____ , и веселе́е , и _____ !
— Ну, ты лу́чше зна́ешь, кто для тебя́ _____ , а кто _____ .

• Что важне́е для мужчи́ны: быть умне́е и́ли быть бога́че?
• Что важне́е для же́нщины: быть краси́вее и́ли быть умне́е?

Диалог 2

• Вы лю́бите у́жинать в рестора́не? А лю́бите плати́ть?
• Вы смо́трите на це́ны, когда́ чита́ете меню́?
• Вы выбира́ете блю́да вкусне́е и́ли деше́вле?

— Дорога́я, что ты хо́чешь?
— Я? Я хочу́ фуа-гра́ и тирамису́. И шампа́нское!
— Но суп и́ли сала́т _____ .
— Ты так говори́шь, потому́ что э́то _____ ?
— Нет, что ты! Я хоте́л как _____ !
— Я _____ зна́ю, что я хочу́!

Диалог 3

• У вас есть кварти́ра? Она́ в це́нтре?
• Вы арендова́ли кварти́ру? У вас был аге́нт? Хоро́ший?

— Алло́! Здра́вствуйте! Я ищу́ кварти́ру...
— Отли́чно! Я са́мый хоро́ший аге́нт в э́том го́роде!
— Э́то хорошо́. Но меня́ _____ интересу́ет не хоро́ший аге́нт, а хоро́шая кварти́ра...
— Каку́ю кварти́ру вы хоти́те, в како́м райо́не?
— Я хочу́ в це́нтре, я там рабо́таю.
— Ну, в це́нтре есть вариа́нты, но в це́нтре _____ .
— Я не хочу́ _____ , я хочу́ _____ .
— _____ то́же есть, но _____ от це́нтра... Больша́я кварти́ра, хоро́ший ремо́нт...
— Нет, я оди́н, без семьи́. Лу́чше _____ , но _____ .

• Где вы хоти́те жить: в кварти́ре доро́же, но в це́нтре го́рода и́ли деше́вле, но да́льше от це́нтра?

Диалог 4

- Где лу́чше отдыха́ть?
- Вы лю́бите, когда́ жа́рко?

— Ско́ро о́тпуск, а мы ещё не зна́ем, куда́ е́дем!
— Я хочу́ в Ита́лию!
— А я в Таила́нд!
— Но Таила́нд _____!
— Там _____!
— Там не _____, а жа́рче!
— Ну, в Таила́нде _____!
— А Ита́лия _____! И в Таила́нд биле́ты _____!
— Биле́ты _____, а там всё _____.

НОВЫЕ СЛОВА

♥ _____ 💔 _____

1

ГЕНИТИВ

ка́рта _____ (мир)   фами́лия _____ (дире́ктор)

флаг _____ (Аме́рика)   столи́ца _____ (Фра́нция)

стра́ны _____ (Евросою́з) исто́рия _____ (А́зия)

назва́ние _____ (фильм)   цена́ _____ (кварти́ра)

о́пыт _____ (рабо́та)

2 Вы хорошо знаете русскую кухню?
Посмотрите на фотографии. Как называются эти блюда?
Какие блюда из чего готовят?

1. сы́рники
2. окро́шка
3. во́дка
4. оливье́
5. борщ
6. ка́ша
7. уха́
8. блины́
9. щи
10. квас
11. пельме́ни

1. О́чень популя́рный кра́сный суп из _____
   (свёкла, капу́ста, карто́шка) и иногда́ _____ (мя́со).

2. Ру́сский сала́т из _____
   (морко́вка, карто́шка, горо́шек, яйцо́, колбаса́, майоне́з). _____

3. Традицио́нный ру́сский суп из _____ (ры́ба
   и карто́шка).

4. Популя́рный ру́сский за́втрак из _____ (зерно́). _____

5. Традицио́нный ру́сский суп из _____ (капу́ста
   и карто́шка), но без _____ (свёкла). _____

6. Ста́рый ру́сский десе́рт из _____ (творо́г).

7. Традицио́нный ру́сский напи́ток из _____ (хлеб). _____

8. Популя́рное блю́до из _____
   (мя́со и мука́). _____

9. Популя́рный алкого́льный напи́ток из _____ (зерно́). _____

10. Холо́дный ру́сский суп из _____
    (квас и́ли кефи́р, огурцы́). _____

11. О́чень ста́рое блю́до из _____
    (мука́, вода́ и яйцо́). _____

Повторение IV

3

Интересные факты о Санкт-Петербурге

1. В Петербурге очень глубокое метро. Его глубина — 100 (метр).
2. Длина Невы — 74 (километр).
3. Её глубина — 9 (метр), а ширина — 500 (метр).
4. В Петербурге 86 (река и канал).
5. В городе 42 (остров) и 580 (мост).
6. В Петербурге 5 (миллион) (житель).
7. Здесь 70 (театр) и 300 (музей).
8. Летом в период белых ночей на улице светло почти 19 (час).
9. В Санкт-Петербурге 800 (школа), почти 100 (университет) и 2500 больших и маленьких (библиотека).
10. В Эрмитаже 15 000 (картина) и 12 000 (скульптура).
11. В городе примерно 1800 (улица) и (проспект), 835 (парк) и (сад).
12. В Петергофе 176 (фонтан).
13. А ещё в Петербурге есть львы, (они) 60.
14. Сейчас вы знаете, почему Петербург смотрят 7 000 000 (турист) в год.

4

ПОСМОТРИТЕ В ИНТЕРНЕТЕ ИНДЕКС БИГМАКА В РАЗНЫХ СТРАНАХ.

• Сколько стоит бигмак в России, Америке, Норвегии, Японии, Мексике? В вашей стране?
• Сколько это рублей?
• Какие ещё индексы могут быть?

ACCUSATIVE

5

1. Моя сестра любит _____ (муж), _____ (дети), _____ (собака) и _____ (я).
2. Я не люблю _____ (соседи), _____ (футбол), _____ (директор) и _____ (рыба).
3. Рыба не любит _____ (зима), _____ (рыбаки), _____ (суп) и _____ (люди).
4. Люди любят _____ (друзья), _____ (фрукты), _____ (актёры) и _____ (собаки).
5. Собаки любят _____ (еда), _____ (свобода) и _____ (хозяин).

COMPARATIVE

6 Вы помните формы?

большо́й — _____   ма́ленький — _____
хоро́ший — _____   лёгкий — _____
ра́но — _____   далеко́ — _____
плохо́й — _____   бога́тый — _____
ста́рый — _____   молодо́й — _____
дорого́й — _____   дешёвый — _____

7 Сравните.

хлеб — торт   ко́шка — соба́ка   изуча́ть ру́сский — спать
студе́нт — профе́ссор   компью́тер — кни́га   лы́жи — самолёт

-СЯ

8

1. В Росси́и лю́ди не _____ на у́лице. (улыба́ться)
2. Лю́ди ча́сто _____ говори́ть пра́вду. А вы? (боя́ться)
3. Когда́ лю́ди игра́ют в казино́, они́ все _____ вы́играть. (наде́яться)
4. Ты же́нщина, а я мужчи́на, но мы прекра́сно _____ ! (обща́ться)

9

1. Упражне́ние _____ . Мы _____ акти́вно ду́мать. (начина́ть/ся)
2. Ка́ждое у́тро я _____ глаза́, но они́ не _____ . (открыва́ть/ся)
3. Ой, не могу́ рабо́тать, спать хочу́, глаза́ _____ . Когда́ де́вушки смо́трят три́ллеры, они́ _____ глаза́. (закрыва́ть/ся)
4. Сейча́с кри́зис. Рестора́ны и магази́ны _____ . Почему́ бизнесме́ны _____ би́знес? (закрыва́ть/ся)
5. Мы _____ мир, но лю́ди не _____ . (меня́ть/ся)
6. Жизнь _____ меня́, но я не _____ . (учи́ть/ся)

10

Встречи

В СССР было мало кафе, поэтому молодые люди обычно _____ (встречаться) дома, в кино или в парке. Сейчас мы _____ (встречаться) в кафе, в баре, в клубе и даже в Интернете.

• Где и как встречались ваши родители? Что они делали? Где сейчас популярно встречаться?

Новый мир

Сегодня мир очень быстро _____ (меняться). Люди всё время _____ (учиться): _____ (стараться) изучать новые профессии, новые технологии, иностранные языки. Молодые люди понимают в технике больше, чем старые, а взрослые _____ (учиться), как дети. Люди _____ (бояться), что плохо понимают новый мир, и не знают, что их ждёт.

11

СВОЙ — СВОЯ — СВОЁ — СВОИ / ЕГО — ЕЁ — ИХ

1. Это Лина. У неё есть богатый муж. Она не хочет жить на _____ деньги, а хочет иметь _____ деньги, поэтому она открыла _____ бизнес.

2. Люди часто не знают, как решать _____ проблемы, но все друзья знают, как решать _____ проблемы.

3. Американцы любят _____ флаг. У вас есть _____ флаг?

4. У меня есть сосед. Я не люблю _____ характер, но он очень любит _____ характер.

5. Почему китайцы так любят _____ иероглифы? Я изучаю _____ иероглифы 20 лет и не умею читать!

6. Англичане любят _____ язык. Весь мир изучает _____ язык, но они часто знают только _____ .

12 **Где здесь ошибки?**

1. Москва старее, чем Петербург.
2. Где ты хочешь работать после университет?
3. Родители хотели сын, а у них дочь.
4. У студента нет есть работа.
5. У меня много трудные работы.
6. У меня мало время.
7. Учитель любит студенты.
8. Завтра мы летаем в Сибирь!
9. Я хочу кофе без сахар.
10. Урок начинает в 10:00.

1 ПИШЕМ ПАРЫ НСВ/СВ:

де́лать — _____   плати́ть — _____

чита́ть — _____   учи́ть — _____

писа́ть — _____   есть — _____

гото́вить — _____   пить — _____

-ЫВА-

_____ — откры́ть   _____ — показа́ть

_____ — рассказа́ть   _____ — закры́ть

_____ — заказа́ть   _____ — вы́играть

-ВА-   **-А-**

_____ — дать   _____ — реши́ть

_____ — прода́ть   _____ — получи́ть

_____ — встать   _____ — пригласи́ть

брать — _____   говори́ть — _____

дава́ть — _____   покупа́ть — _____

помога́ть — _____   сдава́ть — _____

2 НСВ или СВ?

пригото́вить _____ ; откры́ть _____ ; расска́зывать _____ ; съесть _____ ;

дать _____ ; приглаша́ть _____ ; прода́ть _____ ; выи́грывать _____ ;

подписа́ть _____ ; встава́ть

3 ВЫБИРАЕМ ПРАВИЛЬНУЮ ФОРМУ. Регуля́рно ≠ оди́н раз.

Модель:

Все говоря́т, что на́до регуля́рно _____ (чита́ть — прочита́ть). ⇨

Все говоря́т, что на́до регуля́рно читать.

1. Я не люблю́ _____ (гото́вить — пригото́вить), но сего́дня я хочу́
   _____ (гото́вить — пригото́вить) у́жин для друзе́й.
2. Е́сли вы хоти́те _____ (жить — пожи́ть) хорошо́, на́до мно́го
   _____ (рабо́тать — порабо́тать).
3. Вы лю́бите _____ (тра́тить — потра́тить) де́ньги? Ско́лько вы
   мо́жете _____ (тра́тить — потра́тить) за оди́н день?
4. Серге́й и Та́ня хотя́т _____ (продава́ть — прода́ть) кварти́ру
   и пото́м _____ (покупа́ть — купи́ть) дом.
5. Артём хо́чет _____ (покупа́ть — купи́ть) фотоаппара́т
   и _____ (снима́ть — снять) всё, что он ест.
6. Дми́трий хо́чет _____ (открыва́ть — откры́ть) магази́н
   и _____ (продава́ть — прода́ть) музыка́льные инструме́нты.

④

Выбираем правильную форму.

готóвить — приготóвить

1. Алиса хóчет _____ суп.

2. Мáма устáла и не хóчет _____ .

читáть — прочитáть

3. Турúстка хóчет _____ меню.

4. Студéнт не хóчет _____ учéбник.

приглашáть — пригласúть

5. Я хочý _____ дéвушку на тáнец.

6. Я не хочý _____ егó на тáнец.

пить — вы́пить

7. Турúст óчень хóчет _____ .

8. Турúст хóчет _____ .

9. Верблю́д не хóчет _____ .

5 ВЫБИРАЕМ И ПИШЕМ ИНФИНИТИВ НСВ/СВ:

1. Дед Моро́з лю́бит __дари́ть__ (дари́ть — подари́ть) пода́рки. Интере́сно, а он лю́бит их _____ (получа́ть — получи́ть)?

2. Я не люблю́ _____ (игра́ть — поигра́ть) в руле́тку, я бою́сь _____ (прои́грывать — проигра́ть).

3. Вы лю́бите _____ (тра́тить — потра́тить) де́ньги? Ско́лько вы мо́жете _____ (тра́тить — потра́тить) за оди́н день?

4. Артём хо́чет _____ (покупа́ть — купи́ть) бараба́ны и _____ (игра́ть — поигра́ть) в рок-гру́ппе.

5. Что́бы _____ (учи́ть — вы́учить) ру́сский язы́к, на́до _____ (учи́ть — вы́учить) его́ мно́го лет.

6. Соба́ки всегда́ хотя́т _____ (есть — съесть) и _____ (гуля́ть — погуля́ть).

7. Я хочу́ _____ (покупа́ть — купи́ть) но́вую маши́ну, но снача́ла на́до _____ (продава́ть — прода́ть) ста́рую.

8. Студе́нты обы́чно не лю́бят _____ (сдава́ть — сдать) экза́мены, но хотя́т _____ (получа́ть — получи́ть) дипло́м.

9. Тури́ст хо́чет _____ (получа́ть — получи́ть) ви́зу, но снача́ла на́до _____ (де́лать — сде́лать) фотогра́фии и _____ (покупа́ть — купи́ть) страхо́вку.

6 ВЫБИРАЕМ ПРАВИЛЬНУЮ ФОРМУ.

1. Ла́мы хотя́т _____ в монастыре́, а тури́сты — то́лько _____ . (жить — пожи́ть)

2. У вас есть мину́тка? На́до _____ . То́лько я ещё не могу́ хорошо́ _____ по-ру́сски. (говори́ть — поговори́ть)

3. Я люблю́ _____ . Сейча́с о́чень жа́рко! Я хочу́ _____ . (пла́вать — попла́вать)

4. Сего́дня суббо́та. Мо́жно ещё _____ ? Почему́ де́ти не лю́бят _____ в выходны́е? (спать — поспа́ть)

5. Сего́дня хоро́шая пого́да! Мы мо́жем немно́го _____ . Де́ти и соба́ки должны́ _____ ка́ждый день. (гуля́ть — погуля́ть)

6. По́сле университе́та я мечта́ю _____ в ба́нке, но сейча́с я студе́нт и не могу́ мно́го _____ . Ле́том я хочу́ _____ в пиццери́и. (рабо́тать — порабо́тать).

7. Я абсолю́тно не могу́ _____ (спать — поспа́ть) в самолёте, потому́ что там невозмо́жно _____ (лежа́ть — полежа́ть).

8. Я не люблю́ лета́ть в Австра́лию, потому́ что на́до _____ в самолёте 15 часо́в. (сиде́ть — посиде́ть)

УРОК 41

по-

жить — **по**жить   спать — _____   гуля́ть — _____

сиде́ть — _____   ду́мать — _____   пла́вать — _____

рабо́тать — _____

**Читаем диалоги, выбираем слова, потом слушаем и проверяем.
Отвечаем на вопросы и делаем похожие диалоги.**

WB05

1

— Что ты хо́чешь _____ в выходны́е?
— Я хочу́ весь день _____ до́ма.
— А я в суббо́ту хочу́ _____ соба́ку!
— Ты что?! Ты хо́чешь _____ ка́ждое у́тро?
— Почему́ нет? Я люблю́ _____ !

де́лать — сде́лать
сиде́ть — посиде́ть
покупа́ть — купи́ть
гуля́ть — погуля́ть
гуля́ть — погуля́ть

• А вы лю́бите в выходны́е спать?
• Ско́лько часо́в вы мо́жете спать?
• Что ещё вы лю́бите де́лать в свобо́дное вре́мя?
• Вы лю́бите гуля́ть ка́ждое у́тро?

2

— У тебя́ ско́ро о́тпуск. Что ты плани́руешь _____ ?
— Как что? Хочу́ весь о́тпуск _____ на пля́же
  и _____ мохи́то.
— На пля́же?! Сейча́с зима́!
— Э́то не пробле́ма! Мо́жно _____ биле́т
  и отдыха́ть в Таила́нде!

де́лать — сде́лать
лежа́ть — полежа́ть
пить — вы́пить

покупа́ть — купи́ть

• Где лу́чше отдыха́ть: до́ма и́ли за грани́цей?
• Где хорошо́ отдыха́ть зимо́й?
• Куда́ вы хоти́те купи́ть биле́т?

3

— Что ты сего́дня хо́чешь _____ по́сле рабо́ты?
— Не зна́ю... Я ду́мал _____ гита́ру и весь
  ве́чер _____ . А что?
— Я хочу́ _____ тебя́ на день рожде́ния.

— А, спаси́бо! На́до то́лько _____ пода́рок!

де́лать — сде́лать
брать — взять
игра́ть — поигра́ть
приглаша́ть —
  пригласи́ть)
покупа́ть — купи́ть

• Как вы отдыха́ете по́сле рабо́ты?
• Кого́ вы хоти́те пригласи́ть на день рожде́ния?
• Вы покупа́ете пода́рки? Каки́е?

54

Модель: Тури́сты 3 часа́ смотрели колле́кции Эрмита́жа, но посмотре́ли то́лько 1 проце́нт!

1. Хуа́н 3 ме́сяца _____ «А́нну Каре́нину» по-ру́сски.
   Пото́м он уста́л и бы́стро _____ кни́гу по-испа́нски.

   чита́ть — прочита́ть

2. Ро́берт 2 часа́ _____ у́жин, а когда́ _____ ,
   съел его́ за 10 мину́т.

   гото́вить — пригото́вить

3. Год наза́д Са́ймон _____ краси́вый дом.
   Он _____ его́ 10 лет.

   стро́ить — постро́ить

4. Худо́жник мно́го лет _____ карти́ну.
   Он _____ большу́ю карти́ну и до́рого про́дал её.

   рисова́ть — нарисова́ть

5. Бизнесме́н 3 го́да _____ компа́нию.
   Наконе́ц он _____ её и живёт на Барба́досе.

   продава́ть — прода́ть

6. Диза́йнер 2 ме́сяца _____ сайт. Сейча́с он
   _____ сайт и на́чал де́лать но́вый.

   де́лать — сде́лать

7. Го́сти весь ве́чер _____ пельме́ни.
   Ка́ждый гость _____ килогра́мм!

   есть — съесть

8. Я це́лый час _____ костю́м и наконе́ц
   _____ са́мый дешёвый.

   выбира́ть — вы́брать

9. Я все выходны́е _____ но́вые слова́,
   но _____ то́лько 3 сло́ва. Катастро́фа!

   учи́ть — вы́учить

10. «Ты _____ фантасти́ческий у́жин!» —
    «Да, я _____ его́ весь день!»

    гото́вить — пригото́вить

11. Я _____ э́ту да́чу всю жизнь,
    но я _____ настоя́щий дворе́ц!

    стро́ить — постро́ить

12. Ура́! Мы _____ но́вый сайт!
    Мы _____ его́ три ме́сяца.

    де́лать — сде́лать

2

Регулярно / один раз.

Модель: Ра́ньше я всегда говори́л, что лю́ди хоте́ли слы́шать.

Вчера́ я сказал, что ду́маю.

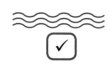

1. Ра́ньше я _____ ма́ленькую зарпла́ту, а вчера́ _____ большу́ю. Интере́сно почему́?

получа́ть — получи́ть

2. Я ка́ждый день _____ в 6 на рабо́ту. Сего́дня суббо́та, поэ́тому я _____ в 12.

встава́ть — встать

3. Вчера́ я пе́рвый раз _____ проду́кты в Интерне́те, а ра́ньше я _____ то́лько в суперма́ркете.

покупа́ть — купи́ть

4. Сего́дня я _____ на обе́д большу́ю пи́ццу, а обы́чно _____ то́лько я́блоко.

есть — съесть

5. До́ма в Аме́рике Джон всегда́ _____ , а в Росси́и он _____ то́лько оди́н раз.

улыба́ться — улыбну́ться

6. Учи́тель ча́сто _____ смешны́е карти́нки. Сего́дня он _____ нас.

рисова́ть — нарисова́ть

7. Сего́дня я _____ , что вы́играл миллио́н! Как жаль, что я ра́ньше не _____ спам!

чита́ть — прочита́ть

8. Ра́ньше я никогда́ не _____ на уро́ке, но сего́дня о́чень тру́дная те́ма, и я уже́ _____ .

устава́ть — уста́ть

3

Модель:

Когда́ Та́ня ___ се́лфи, она́ улыба́лась. (де́лать — сде́лать)
Когда́ Та́ня ___ се́лфи, она́ получи́ла ты́сячу ла́йков. ⇨
Когда́ Та́ня делала се́лфи, она́ улыба́лась.
Когда́ Та́ня сделала се́лфи, она́ получи́ла ты́сячу ла́йков.

1. Когда́ Ка́тя _____ сериа́л, она́ приняла́ ва́нну.
2. Когда́ Ка́тя _____ сериа́л, она́ е́ла фру́кты.
3. Когда́ Ви́ка _____ , она́ заказа́ла ко́лу.
4. Когда́ Ви́ка _____ , Ми́ша её фотографи́ровал.
5. Когда́ А́нна _____ у́жин, она́ слу́шала му́зыку.
6. Когда́ А́нна _____ у́жин, она́ откры́ла вино́ и включи́ла сериа́л.
7. Когда́ Бори́с _____ креди́т, он откры́л рестора́н.
8. Когда́ Бори́с _____ креди́т, он отве́тил на ты́сячу вопро́сов.

смотре́ть — посмотре́ть

танцева́ть — потанцева́ть

гото́вить — пригото́вить

брать — взять

9. Когда студенты _____ экзамен, они очень боялись.
10. Когда студенты _____ экзамен, они организовали вечеринку.
11. Когда Надя _____ сейф, она увидела золото.
12. Когда Надя _____ сейф, она не знала, что там.
13. Когда туристы _____ по городу, они поужинали в отеле.
14. Когда туристы _____ по городу, они слушали гида.

сдавать — сдать

открывать — открыть
гулять — погулять

4 есть — съесть

Гости _____ ужин.   Гости _____ ужин.

строить — построить

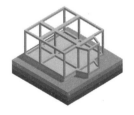   

Саша _____ дом и баню.   Он _____ дом.
Саша не _____ гараж.   Саша ещё не _____ баню.

читать — прочитать

Студенты изучают русскую литературу.
Андреа _____ «Войну и мир» 2 месяца. Она очень рада, что наконец _____ её.
Кристоф не любит толстые книги. Он _____ «Войну и мир», но не _____ .
Элиза не _____ «Войну и мир», она смотрела фильм.

Лу́кас, Лау́ра и Пе́тер — студе́нты. Вчера́ у них был экза́мен.

сдава́ть — сдать

Лу́кас _____ экза́мен.
Лу́кас хорошо́ _____ экза́мен.
Пе́тер не _____ экза́мен, он боле́л.

Лау́ра то́же _____ экза́мен.
Лау́ра не _____ экза́мен.

покупа́ть — купи́ть

Тури́сты _____ сувени́ры.
Гид не _____ сувени́ры.

Мэ́ри _____ матрёшки.
То́мас ничего́ не _____ .

стро́ить — постро́ить

В Вавило́не _____ ба́шню.
В Австра́лии не _____ ба́шню.

В Вавило́не не _____ ба́шню.
В Пари́же _____ ба́шню.

НОВЫЕ СЛОВА

❤ _____   💔 _____

1 31 ДЕКАБРЯ ЛЮДИ ЧАСТО ПЛАНИРУЮТ НАЧАТЬ НОВУЮ ЖИЗНЬ.
ЧТО ВЫ БУДЕТЕ / НЕ БУДЕТЕ ДЕЛАТЬ В НОВОМ ГОДУ?

Модель: Образова́ние: Я **бу́ду** изуча́ть ру́сский язы́к, я **бу́ду** всегда́ де́лать дома́шнюю рабо́ту, я **бу́ду** бо́льше чита́ть и **не бу́ду** теря́ть вре́мя.

Образова́ние: _____

_____

Рабо́та _____

_____

Спорт: _____

_____

Хо́бби: _____

_____

Еда́: _____

_____

Напи́тки: _____

2

Любо́вь

— Люби́мый, ско́ро на́ша сва́дьба! Как романти́чно! Мы _____ (жить) вме́сте дру́жно и ве́село. Ты _____ (дари́ть) мне цветы́, а я _____ (встреча́ть) тебя́ ве́чером до́ма... Мы вме́сте _____ (путеше́ствовать).

— А кто _____ (гото́вить)? Я люблю́ есть!

— Гото́вить?! Я не _____ ! Гото́вить я не люблю́. Мы _____ (ходи́ть) в рестора́н.

— Ка́ждый день ходи́ть в рестора́н?! А кто _____ (зараба́тывать) де́ньги?

— Ну что ты начина́ешь... Ла́дно, я _____ (учи́ться) гото́вить. Я же тебя́ люблю́!

WB06

• Как вы ду́маете, жить вме́сте романти́чно?
• Что на́до де́лать, что́бы жить романти́чно?

3

WB07

Соседи

Три студе́нта хотя́т арендова́ть одну́ кварти́ру и жить вме́сте. Так намно́го деше́вле и веселе́е. Есть то́лько одна́ пробле́ма: кто что бу́дет де́лать.

То́мас мечта́ет, что _____ (игра́ть) на гита́ре и спать до обе́да.

Ли Юнь мечта́ет, что _____ весь день ти́хо _____ (учи́ться), а но́чью споко́йно спать.

А́рни — бодиби́лдер и мечта́ет, что до́ма он акти́вно _____ (тренирова́ться), мно́го спать и есть 6 раз в день.

- Как вы ду́маете, кто бу́дет гото́вить, убира́ть, покупа́ть проду́кты?
- Они́ бу́дут жить ве́село и дру́жно?

Нерегулярные формы !!!

4

-каз- ⇨ -каж-

	сказа́ть	показа́ть	заказа́ть	рассказа́ть
я	скажу́			
ты				
он				
мы				
вы				
они				

-ста- ⇨ -стан-

	стать	встать	уста́ть
я	ста́ну		
ты			
он			
мы			
вы			
они			

	дать	сдать	прода́ть
я	дам		
ты			
он			
мы			
вы			
они			

5

Модель:

— Мам! Я хочу́ есть.

— Да, дорого́й! Сейча́с _____ (гото́вить — приготовить). ⇨

— Да, дорого́й! Сейча́с приготовлю.

1. — Ско́лько вы зараба́тываете?

— Я не _____ (говори́ть — сказа́ть)!

2. — У нас то́лько оди́н бана́н? Мо́жно я его́ _____ (есть — съесть)?

— Я то́же хочу́. Мо́жет быть, мы вме́сте _____ (есть — съесть)?

3. — Ты зна́ешь недорогу́ю гости́ницу в це́нтре?

— Сейча́с _____ (находи́ть — найти́) в Интерне́те.

4. — Вы посмотре́ли докуме́нты?

— Прости́те, забы́л. Пря́мо сейча́с _____ (смотре́ть — посмотре́ть).

5. — Вы уже́ сде́лали ремо́нт?

— Ка́жется, мы его́ никогда́ не _____ (де́лать — сде́лать).

6. — Е́сли хо́чешь, я _____ (дава́ть — дать) де́ньги!

— Е́сли ты _____ (дава́ть — дать) де́ньги, я их не _____ (брать — взять)!

7. — Здесь о́чень жа́рко!

— Я сейча́с _____ (включа́ть — включи́ть) кондиционе́р, и здесь _____ (станови́ться — стать) хо́лодно.

8. — Где вы живёте?

— Сейча́с в го́роде, но ско́ро _____ (продава́ть — прода́ть) кварти́ру и _____ (покупа́ть — купи́ть) дом на приро́де.

9. — Ты смо́жешь за́втра встать в 6?

— Е́сли я за́втра ра́но _____ (встава́ть — встать), я не _____ (мочь — смочь) рабо́тать.

10. — Вы всё понима́ете?

— Ду́маю, да. Е́сли у меня́ бу́дут вопро́сы, я _____ (писа́ть — написа́ть) и́ли _____ (звони́ть — позвони́ть).

6 **ВАШИ ИДЕИ:**

1. Éсли у меня́ бу́дут де́ньги, я

2. Éсли у меня́ бу́дет мно́го дете́й, я

3. Éсли у меня́ не бу́дет рабо́ты, я

4. Éсли всё бу́дет, как я хочу́,

5. Éсли я вы́учу ру́сский,

6. Éсли всю рабо́ту бу́дут де́лать ро́боты,

НОВЫЕ СЛОВА

1   **Какому? Какой? Каким?**

1. _____ (Какие) студéнтам преподавáтель объясня́ет граммáтику? (инострáнные)
2. _____ (Какóй) человéку нельзя́ совéтовать? (глу́пый)
3. _____ (Какие) лю́дям нáдо помогáть? (креати́вные)
4. _____ (Какóй) дóктору звоня́т, когдá болéют? (семéйный)
5. _____ (Какáя) певи́це дáрят цветы́? (популя́рная)
6. _____ (Какие) клиéнтам даю́т ски́дки? (стáрые)
7. _____ (Какáя) дéвушке ты звони́л? (нóвая)
8. _____ (Какие) писáтелям не плáтят за кни́ги? (класси́ческие)

2   **Кто?/Кому?**

Модель: Кто? — студéнт   Кому́? — студéнту

_____ ? — дéвушке   _____ ? — друг   _____ ? — подру́га
_____ ? — лю́ди   _____ ? — тури́сту   _____ ? — дéтям
_____ ? — пáпе   _____ ? — дéти   _____ ? — Рóма
_____ ? — Áнна   _____ ? — Джóну   _____ ? — студéнтам

3

Модель:
   Я не знáю, что дари́ть _____ (дéти): я ду́маю, у них всё есть! ⇨
   Я не знáю, что дари́ть детя́м: я ду́маю, у них всё есть!

1. Мéнеджер всё врéмя звони́т _____ (клиéнты).
2. Алексáндр помогáет _____ (Татья́на) писáть письмó.
3. Агéнт показáл _____ (Влади́мир и Кáтя) кварти́ру в нóвом дóме.
4. Студéнт рассказáл _____ (профéссор) всё, что знал.
5. Гид покáзывает _____ (тури́сты) гóрод, а тури́сты покáзывают _____ (друзья́) фотогрáфии.
6. Трéнер рекоменду́ет _____ (спортсмéн) бóльше трени壊ровáться, есть и спать.
7. Антóн подари́л цветы́ _____ (Áнна), а Áнна сказáла _____ (Антóн) спаси́бо.
8. Официáнтка дáла _____ (И́горь) кóфе, а И́горь дал _____ (официáнтка) дéньги.
9. Вы совéтуете _____ (друзья́), как жить?
10. Хорошó, когдá муж вéрит _____ (женá), а женá вéрит _____ (муж)!

4

Модель:

Я даю 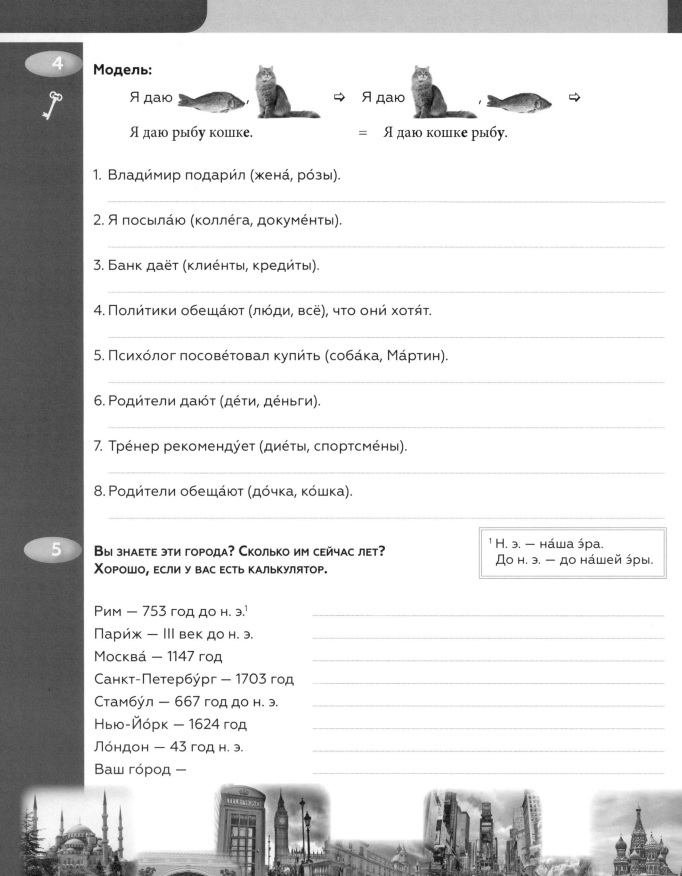 , ⇨ Я даю , ⇨

Я даю ры́бу ко́шке. = Я даю ко́шке ры́бу.

1. Влади́мир подари́л (жена́, ро́зы).

_____

2. Я посыла́ю (колле́га, докуме́нты).

_____

3. Банк даёт (клие́нты, креди́ты).

_____

4. Поли́тики обеща́ют (лю́ди, всё), что они́ хотя́т.

_____

5. Психо́лог посове́товал купи́ть (соба́ка, Ма́ртин).

_____

6. Роди́тели даю́т (де́ти, де́ньги).

_____

7. Тре́нер рекоменду́ет (дие́ты, спортсме́ны).

_____

8. Роди́тели обеща́ют (до́чка, ко́шка).

_____

5

Вы знаете эти города? Сколько им сейчас лет?
Хорошо, если у вас есть калькулятор.

> [1] Н. э. — на́ша э́ра.
> До н. э. — до на́шей э́ры.

Рим — 753 год до н. э.[1]
Пари́ж — III век до н. э.
Москва́ — 1147 год
Санкт-Петербу́рг — 1703 год
Стамбу́л — 667 год до н. э.
Нью-Йо́рк — 1624 год
Ло́ндон — 43 год н. э.
Ваш го́род —

6

Модель:

Я, 20 ⇨

Сейча́с ⇨ **Сейчас** мне 20 лет.

— 3 ⇨ **3 года назад** мне было 17 лет.

+ 3 ⇨ **Через 3 года** мне будет 23 года.

Али́на, 18

Сейча́с ....

— 2 ....

+ 5 ....

Влад, 32

Сейча́с ....

— 11 ....

+ 23 ....

Лау́ра, 65

Сейча́с ....

— 63 ....

+ 35 ....

Ма́ша и Ми́ша, 7

Сейча́с ....

— 6 ....

+ 15 ....

7 Пишем, что у вас есть. Сколько им лет?

1. У меня́ есть телефо́н. Ему́ ....

2. У меня́ есть дом. ....

3. У меня́ есть маши́на. ....

4. У меня́ есть велосипе́д ....

5. У меня́ есть компью́тер. ....

6. У меня́ есть пиани́но / гита́ра. ....

7. У меня́ есть карти́на / ико́на / ста́рая кни́га ....

8. У меня́ есть ....

....

....

1

Ей стра́шно.

2

Nom. или Dat.

1. _____ не ску́чные студе́нты, но _____ ску́чно. (мы)
2. Почему́ _____ пло́хо, е́сли _____ хоро́ший челове́к? (я)
3. На́ша _____ тру́дная, поэ́тому _____ тру́дно. (грамма́тика, вы)
4. Э́то де́ти. _____ ве́село, когда́ _____ смо́трят весёлый фильм. (они́)
5. _____ пла́чете, когда́ _____ бо́льно? (вы)
6. Что _____ де́лаете, когда́ _____ гру́стно? (вы)

> **Кто** лю́бит му́зык**у**? — **Кому́** нра́вится му́зык**а**?
> **Я** люблю́ му́зык**у**. — **Мне** нра́вится му́зык**а**.

3

Правда или нет?

> **Кто** что **лю́бит**? ⇨ **Кому́** что **нра́вится**?

Моде́ль:

Кот — ры́ба и соба́ки. ⇨

Кот лю́бит ры́бу и не лю́бит соба́к. Коту́ нра́вится ры́ба и не нра́вятся соба́ки.

Де́ти — шко́ла и кани́кулы.

Рабо́тники — зарпла́та и о́тпуск.

Такси́ст — пассажи́ры и де́ньги.

Спортсме́н — Олимпиа́да и меда́ли.

Де́вушки — косме́тика и комплиме́нты.

Студе́нты — университе́т и вечери́нки.

Тури́сты — сувени́ры и ви́зы.

Госуда́рство — наро́д и нало́ги.

Ко́шка — дом и еда́.

Соба́ка — хозя́ин и де́ти.

Учи́тель — студе́нты и те́сты.

4 **Моде́ль:**

Мы не зна́ем, **куда́ е́хать**. ⇨ **Куда́ нам е́хать?**

1. Я не зна́ю, что де́лать.
2. Она́ не зна́ет, како́й фильм посмотре́ть.
3. Мы не зна́ем, как жить.
4. Он не зна́ет, как плати́ть.
5. Они́ не зна́ют, где жить.
6. Я не зна́ю, кому́ позвони́ть.
7. Он не зна́ет, что изуча́ть.
8. Мы не зна́ем, куда́ идти́.
9. Она́ не зна́ет, кого́ спроси́ть.
10. Они́ не зна́ют, на чём е́хать.

5

WB08

СЛУШАЕМ ТЕКСТ И ГОВОРИМ: ДА ИЛИ НЕТ? НА ВСЕ ВОПРОСЫ ЕСТЬ ОТВЕТ?

	Да	Нет
1. У Игоря трудный характер.	☐	☐
2. Ольге не нравится весна.	☐	☐
3. Ольге нравится путешествовать.	☐	☐
4. Ольге не нравятся туристы и визы.	☐	☐
5. Муж Ольги говорит, что всё нормально.	☐	☐
6. Игорь не любит Ольгу.	☐	☐

СЛУШАЕМ ЕЩЁ РАЗ И ПИШЕМ ИНФОРМАЦИЮ ОБ ОЛЬГЕ.

Ольге нравится:

_____

_____

_____

_____

Ольге не нравится:

_____

_____

_____

_____

ВЫ ХОРОШО ПОМНИТЕ ТЕКСТ? ПИШЕМ СЛОВА, ПОТОМ СЛУШАЕМ И ПРОВЕРЯЕМ.

Меня зовут Ольга. Говорят, у меня _____ характер. Может быть, не знаю. Например, _____ нравится весна, но не нравится _____ . Мне нравится ездить на _____ , но не нравится, когда _____ машин. Мне нравится путешествовать, но не нравятся _____ , паспортный _____ и когда много туристов. Мне в принципе нравится _____ , но не нравится готовить _____ день. И ещё мне нравится фитнес, но не нравится _____ на тренировке. Мой муж говорит, что это нелогично. А я думаю, что это _____ ! Например, Игорь любит меня, но ему не всегда нравится мой характер...

• Как вы считаете, у Ольги трудный характер? А у вас?
• Можно любить человека, но не любить его характер?

ПЕРЕСКАЗ:

Я Игорь. У меня есть жена Ольга...

6   ВАШИ ПРИМЕРЫ: ЧТО ВАМ НРАВИТСЯ, А ЧТО НЕТ?

Мне о́чень нра́вится

Мне не о́чень нра́вится

Мне совсе́м не нра́вится

Всем нра́вится

Никому́ не нра́вится

НОВЫЕ СЛОВА

УРОК 46

1

Модель:

Кто? — дéвушк**а**   **Когó?** — дéвушк**у**   **Комý?** — дéвушк**е**

_____ ? — дéти	_____ ? — студéнтке	_____ ? — лю́дям
_____ ? — студéнту	_____ ? — друзья́м	_____ ? — мужчи́ну
_____ ? — подрýгу	_____ ? — жéнщин	_____ ? — котá

2

Nom. или Dat.

1. _____ (Я) люблю́ шоколáд, но _____ (я) нельзя́ егó есть. У меня́ аллерги́я.
2. _____ (Вы) хоти́те говори́ть хорошó? _____ (Вы) нáдо знать граммáтику!
3. В Япóнии дéти как мáленькие бóги. _____ (Они) всё мóжно.
4. _____ (Тури́сты) мóжно отдыхáть за грани́цей, но _____ (они) нельзя́ там рабóтать.
5. Что _____ (ты) ешь? Мóжно _____ (я) попрóбовать?
6. _____ (Я) 17 лет. _____ (Я) ужé мóжно води́ть маши́ну в Амéрике, но ещё нельзя́ води́ть в Еврóпе.
7. Рáньше _____ (лю́ди) нáдо бы́ло жени́ться, чтóбы жить вмéсте. Сейчáс _____ (все) мóжно жить вмéсте и не нýжно жени́ться.
8. Почемý _____ (лю́ди) мóжно, а _____ (собáки) нельзя́ éздить в метрó?
9. _____ (Европéйцы) мóжно éздить в Евросою́зе без ви́зы. А _____ (вы)?
10. _____ (Я) помогáю _____ (все), _____ (кто) нýжно.

3

Что нýжно всем? Что никомý не нýжно? Что вам нýжно?

> всё, рабóта, би́знес, врéмя, любóвь, проблéмы, экзáмены, войнá, прáвда, семья́, рели́гия, креди́т, мя́со, здорóвье, микрóбы, контрóль, óтпуск, свобóда, комплимéнты, карьéра

Всем _____

Никомý не _____

Мне _____

4 Пишем формы (не) нужен / нужна / нужно / нужны.

WB09

Сколько человеку нужно?

Сколько раз философы, политики, экономисты, революционеры и простые люди задавали этот вопрос: что человеку нужно? И сколько?

Сегодня у нас есть ответы на этот вопрос.

Медицина отвечает так: нам _____ гигиена, _____ спорт, _____ витамины, _____ курить и принимать наркотики, _____ пить много алкоголя. Людям _____ есть натуральные продукты — и не слишком много!

Психологи говорят, что людям _____ оптимизм, _____ работа и _____ время для отдыха. Нам _____ хорошие друзья и позитивные эмоции. А ещё _____ стараться жить активно и интересно!

Каждый человек скажет, что ему _____ деньги и здоровье. Но когда мы говорим о качестве жизни, мы слышим, что людям _____ социальные гарантии! Нам _____ хорошая медицина и безопасность, бесплатное образование и, конечно, _____ большие пенсии. Все люди хотят иметь достаточно высокий материальный уровень жизни. А ещё люди часто говорят, что им _____ свобода!

Всё это хорошо, но _____ забывать, что мы продукт эволюции, поэтому нам _____ не только гарантии и комфорт. Трудности делают нас сильнее! Может быть, человеку _____ жить без стресса, проблем и конкуренции? Может быть, поэтому в странах, где комфортная и стабильная жизнь, люди так любят риск и экстрим?

5 Напишите, согласны вы или нет и почему:

1. Нам не нужно так много, как у нас есть сегодня.

_____

2. Людям нужна работа.

_____

3. Нам нужны социальные гарантии.

_____

4. Нельзя жить без проблем и стресса.

_____

5. Прогресс даёт комфорт, но комфорт не даёт прогресса.

_____

1

Модель:

Москва́, подру́га. ⇨
Я ездил в Москву к подруге.
Я был в Москве у подруги.
Я еду из Москвы от подруги.

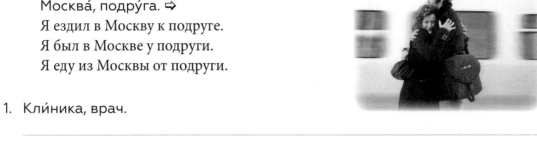

1. Кли́ника, врач.

_____

_____

_____

2. Ри́га, брат.

_____

_____

_____

3. Вашингто́н, президе́нт.

_____

_____

_____

4. О́фис, клие́нты.

_____

_____

_____

5. Га́рвард, профе́ссор.

_____

_____

_____

6. Столи́ца, дире́ктор.

_____

_____

_____

2 КОМУ И ЧЕГО ВЫ ЖЕЛАЕТЕ?

Я жела́ю (все) _____

Я жела́ю (роди́тели) _____

Я жела́ю (де́ти) _____

Я жела́ю (друзья́) _____

Я не жела́ю (враги́) _____

3 КОМУ? или К КОМУ?

1. _____ ты звони́шь? — Ти́хо! Я звоню́ _____ (жена́).
2. _____ вы идёте? — Я иду́ _____ (адвока́т).
3. _____ ты ходи́л? — Я ходи́л _____ (друзья́).
4. _____ ты хо́чешь э́то подари́ть? — _____ (де́ти).
5. _____ вы идёте в го́сти в суббо́ту? — _____ (друзья́).
6. _____ пи́шешь сто́лько пи́сем? — Я пишу́ _____ (Татья́на).
7. _____ е́дет дире́ктор? — _____ (инве́сторы).
8. _____ дире́ктор хо́чет рассказа́ть о прое́кте? — _____ (инве́сторы).
9. _____ студе́нты отвеча́ли на экза́мене? — _____ (профе́ссор).
10. _____ студе́нты ходи́ли на консульта́цию? — _____ (профе́ссор).

4 ЗАКОНЧИТЕ ФРАЗЫ:

1. Я хочу́ послу́шать ле́кции по _____

2. Я не хочу́ слу́шать ле́кции по _____

3. Я не понима́ю ле́кции по _____

4. Я могу́ чита́ть ле́кции по _____

5. Я могу́ сдать экза́мен по _____

6. Я бою́сь сдава́ть экза́мен по _____

7. Я сдава́л/сдава́ла экза́мены по _____

8. Тру́дно сдать экза́мен по _____

9. Легко́ сдать экза́мен по _____

10. Я люблю́ гуля́ть по _____

11. Опа́сно гуля́ть по _____

1

	ТЫ	ВЫ
переда́ть	передай	передайте
написа́ть		
прочита́ть		
позвони́ть		
сказа́ть		
рассказа́ть		
подожда́ть		
купи́ть		
спроси́ть		
попро́бовать		
закры́ть		
включи́ть		
показа́ть		

2

ПОСМОТРИТЕ НА КАРТИНКИ И СКАЖИТЕ, ЧТО ГОВОРЯТ В ЭТОЙ СИТУАЦИИ.

Прочитайте глаголы, сделайте форму императива.

> сказа́ть, откры́ть, закры́ть, купи́ть, вы́ключить, дать,
> говори́ть, показа́ть, подожда́ть, помо́чь

Вставьте императивы в предложения. Попробуйте найти картинку для каждой фразы. Послушайте и проверьте.

WB10

1. _____ окно́, мне хо́лодно!
2. _____ дверь! Я хочу́ домо́й.
3. _____ му́зыку! Уже́ ночь!
4. _____, пожа́луйста, матрёшки!
5. _____! Я не уме́ю пла́вать.
6. _____, пожа́луйста, где Эрмита́ж?
7. _____ мне соба́ку! Я её люблю́.
8. _____, пожа́луйста, меню́!
9. _____ меня́! Я уже́ бегу́!
10. _____ то́лько по-ру́сски!

3

Позитив (+) СВ

Негатив (—) НСВ

Помоги́те ему́! ⇨

Не помога́йте ему́!

Покажи́те па́спорт!

Расскажи́те пра́вду!

Включи́те телеви́зор!

Вы́ключите свет!

Откро́йте окно́! Жа́рко!

Закро́йте дверь!

Позвони́те за́втра!

Напиши́те комме́нта́рий!

Посмотри́те но́вости!

Пригласи́те госте́й!

Спроси́те меня́!

Попроси́те де́ньги!

Отве́тьте на вопро́с!

Возьми́те креди́т!

Подожди́те меня́!

Да́йте мне дипло́м!

УРОК 48

4

СМОТРИМ НА СЛОВА, ЧИТАЕМ ДИАЛОГИ.
КАК ВЫ ДУМАЕТЕ, КАКИЕ ФОРМЫ ИМПЕРАТИВА ДОЛЖНЫ БЫТЬ ЗДЕСЬ?
ПОТОМ СЛУШАЕМ И ПРОВЕРЯЕМ.

> Скажи́те! Возьми́те! Останови́те! Перезвони́те! Посмотри́! Извини́те! Да́йте! Подожди́те! Кричи́те! Покажи́те! Говори́те!

1. — _____, пожа́луйста, э́тот телефо́н! Он кита́йский?
— Сейча́с всё кита́йское, а он — коре́йский!

2. — _____, пожа́луйста, где здесь метро́?
— Метро́?.. Здесь нет метро́.

3. — _____, пожа́луйста, меню́!
— У нас нет меню́. Мы пригото́вим всё, что вы хоти́те!

4. — _____, пожа́луйста, чек и сда́чу!
— Спаси́бо, сда́чи не на́до!

5. — _____, что я купи́ла!
— Что э́то? Карнава́льный костю́м?
— Почему́ карнава́льный? Про́сто краси́вый...

6. — Алло́! _____ гро́мче, я вас пло́хо слы́шу!
— Пло́хо слы́шите? Хорошо́, тогда́ лу́чше _____!

7. — _____ меня́! Я забы́л бага́ж!
— Не _____, по́езд не мо́жет ждать!

8. — Вот моя́ гости́ница! _____ здесь, пожа́луйста!
— _____, здесь нельзя́. Вот здесь мо́жно! С вас 500 рубле́й. Хоро́шего дня!

5 ВПИШИТЕ ФОРМЫ ИМПЕРАТИВА, НАПИШИТЕ **не**, ГДЕ ЭТО НУЖНО. ПОТОМ СЛУШАЙТЕ И ПРОВЕРЯЙТЕ.

WB12

Сове́ты иностра́нцам в Росси́и

1. _____ (сказа́ть), что вы лю́бите ру́сскую культу́ру, и все вас бу́дут люби́ть!

2. _____ (есть) хот-до́ги, лу́чше _____ (попро́бовать) ру́сскую ку́хню!

3. _____ (пить) пи́во по́сле во́дки!

4. Éсли хоти́те подари́ть цветы́, _____ (дари́ть) 3, 5 и́ли 7. _____ (дари́ть) лю́дям 2 и́ли 4.

5. Éсли вы сиди́те в тра́нспорте и ви́дите же́нщину, ребёнка и́ли ста́рого челове́ка, _____ (встать). Э́то тради́ция!

6. Когда́ вы е́дете в Росси́ю, _____ (взять) тёплую оде́жду: мо́жет быть хо́лодно!

7. _____ (свисте́ть) в до́ме: ру́сские ду́мают, что, éсли свисте́ть, в до́ме не бу́дет де́нег.

8. _____ (есть) моро́женое на у́лице зимо́й!

9. _____ (говори́ть) бо́льше об исто́рии, литерату́ре, поли́тике, филосо́фии, рели́гии: ру́сские лю́бят интере́сные и информа́тивные диску́ссии!

10. _____ (игра́ть) в ру́сскую руле́тку!

КАКИЕ ЕЩЁ СОВЕТЫ ВЫ МОЖЕТЕ ДАТЬ?

ДАЙТЕ СОВЕТЫ ИНОСТРАННЫМ ТУРИСТАМ В ВАШЕЙ СТРАНЕ (МИНИМУМ 5).

1. _____

2. _____

3. _____

4. _____

5. _____

6

ОТВЕТЬТЕ НА ВОПРОСЫ.

- Сколько языков вы знаете? Какие?
- Вы советуете друзьям изучать русский? Почему?
- Где лучше изучать язык: дома или в России? Почему?
- Как вы думаете, надо изучать грамматику или нет? Почему?

ПРОЧИТАЙТЕ ТЕКСТ «КАК ИЗУЧАТЬ РУССКИЙ ЯЗЫК?».

Как изучать русский язык?

Привет, Сандра! Я знаю, что ты хочешь изучать русский язык в России. Если хочешь, _____ (приезжать) в Санкт-Петербург, здесь красиво и интересно. Я уже полгода учусь здесь в университете и могу дать тебе несколько советов.

_____ (Попробовать) начать изучать язык дома. Сначала _____ (выучить) русский алфавит. Он нетрудный. Когда будешь в России, _____ (читать) рекламу на улице и в метро. _____ (Слушать), что говорят люди. Больше _____ (говорить) по-русски и не бойся делать ошибки. Если не понимаешь, _____ (спрашивать). Все знают, что русская грамматика очень трудная. Не _____ (думать), что можно говорить без неё правильно. _____ (Попробовать) понять грамматику, она интересная.

Не _____ (сидеть) весь день в классе и библиотеке. Обязательно _____ (найти) русских друзей, так как тебе нужна практика. Больше _____ (гулять) по городу и _____ (смотреть) музеи. Если ты ещё не знаешь русскую кухню, _____ (попробовать) борщ и блины.

_____ (Приезжать) в Санкт-Петербург! Буду рад тебя видеть. Если есть вопросы, _____ (писать)!

До встречи в Петербурге,
Кай

А КАКИЕ СОВЕТЫ МОЖЕТЕ ДАТЬ ВЫ? НАПИШИТЕ МИНИМУМ 3.

1. _____
2. _____
3. _____

1 Давайте...

Модель:

> Пора́ **пить** ко́фе! ⇨ Дава́йте **пить** ко́фе!
>
> Я предлага́ю **вы́пить** ко́фе. ⇨ Дава́йте **вы́пьем** ко́фе!

1. Мы хоти́м рабо́тать. ....
2. Я хочу́ говори́ть то́лько по-ру́сски. ....
3. Мы хоти́м сказа́ть спаси́бо учи́телю. ....
4. Я предлага́ю потанцева́ть. ....
5. Я предлага́ю заказа́ть пи́ццу. ....
6. Мы хоти́м смотре́ть ру́сские фи́льмы. ....
7. На́до смотре́ть на жизнь позити́вно. ....
8. Мы хоти́м написа́ть тест. ....
9. Мы хоти́м сего́дня отдыха́ть. ....
10. Мы предлага́ем сде́лать переры́в! ....
11. Я хочу́ спать! ....
12. Я хочу́ пойти́ домо́й. ....

2 Как сделать жизнь лучше? Что вы можете предложить?

В шко́ле   Дава́йте ....

В университе́те   Дава́йте ....

На рабо́те   Дава́йте ....

В семье́   Дава́йте ....

В стране́   Дава́йте ....

В ми́ре   Дава́йте ....

УРОК 49

3

WB13

...чтобы + Past

ЧИТАЕМ, ДУМАЕМ И ПИШЕМ, КТО ЧТО ХОЧЕТ. ПОТОМ В КЛАССЕ СЛУШАЕМ И ПРОВЕРЯЕМ.

Модель:

Консерваторы хотят, чтобы всё было по-старому.
Молодые люди не хотят, чтобы их учили жить.

> консерваторы, писатели, эгоисты, туристы, моя собака,
> молодые люди, учителя, врачи, взрослые, дети, все

Все люди разные: у нас разный возраст, разные профессии, разные идеи и вкусы.

1. _____ хотят, чтобы всё _____ (быть) по-старому.
2. _____ не хотят, чтобы все _____ (учить) их жить.
3. _____ хочет, чтобы мы _____ (гулять) 5 раз в день.
4. _____ хотят, чтобы все _____ (читать) их книги и не _____ (критиковать).
5. _____ хотят, чтобы люди _____ (принимать) витамины, _____ (не курить), меньше _____ (работать) и больше _____ (спать).
6. _____ мечтают, чтобы дети _____ (любить) ходить в школу, больше _____ (читать), больше _____ (знать) и меньше _____ (сидеть) в телефоне.
7. _____ мечтают, чтобы родители их не _____ (ругать), всё им _____ (покупать) и чтобы у них _____ (быть) много друзей.
8. _____ хотят, чтобы зарплата _____ (быть) выше, а цены _____ (быть) ниже и чтобы их дети _____ (быть) здоровые и хорошо _____ (учиться).
9. _____ мечтают, чтобы всё _____ (быть), как они хотят.
10. _____ хотят, чтобы погода _____ (быть) хорошая и чтобы всё _____ (быть) красиво и недорого.
11. А ещё _____ хотят, чтобы их _____ (любить) и _____ (понимать).

4

Модель:

Мáма готóвит, чтóбы _____ (поéсть) и́ли чтóбы дéти _____ (поéсть)? ➪
Мáма готóвит, чтóбы поéсть и́ли чтóбы дéти поéли?

1. Я хочý купи́ть собáку, чтóбы _____ (игрáть) с ней и чтóбы онá _____ (встречáть) меня́ пóсле рабóты.

2. Я изучáю рýсский, чтóбы _____ (понимáть) рýсских и чтóбы рýсские _____ (понимáть) меня́.

3. Лю́ди хóдят в университéт, чтóбы все их _____ (уважáть) и́ли чтóбы _____ (учи́ться)?

4. Богáтые помогáют бéдным, чтóбы _____ (сдéлать) их жизнь лýчше и́ли чтóбы они́ не _____ (сдéлать) револю́цию?

5. Тури́сты фотографи́руются, чтóбы все _____ (ви́деть), где они́ бы́ли, и́ли чтóбы потóм _____ (смотрéть) фотогрáфии?

6. Профéссор даёт тéсты, чтóбы студéнты _____ (учи́ться) лýчше и́ли чтóбы _____ (знать), как ýчатся студéнты?

7. Бори́с рабóтает, чтóбы _____ (заработáть) дéньги и́ли чтóбы женá не _____ (говори́ть), что он лени́вый?

5

Ваши идеи:

	мой мáма и пáпа _____
Я хочý, чтóбы	мой друзья́ _____
Я не хочý, чтóбы	мой муж / моя́ женá _____
Я мечтáю, чтóбы	мой дéти _____
	все лю́ди _____
	мой дом/квартúра _____
	моя́ странá _____

УРОК 50

1

Модель:

1) бутербро́д + ма́сло = бутерброд **с маслом** — Dat.
2) бутербро́д — ма́сло = бутерброд **без масла** — Gen.

чай + лимо́н = _____

чай — лимо́н = _____

ко́фе + са́хар = _____

ко́фе — са́хар = _____

пи́цца + колбаса́ = _____

пи́цца — колбаса́ = _____

мя́со + ке́тчуп = _____

мя́со — ке́тчуп = _____

борщ + смета́на = _____

борщ — смета́на = _____

вода́ + газ = _____

вода́ — газ = _____

2

1. У вас ужа́сный дире́ктор! Как вы с _____ рабо́таете?
2. Я не люблю́ быть оди́н. Ты мо́жешь побы́ть со _____?
3. Я тебя́ люблю́. Когда́ я с _____, мне всегда́ хорошо́!
4. Мы танцу́ем до утра́! Танцу́йте с _____!
5. Кака́я краса́вица! Я хочу́ с _____ познако́миться.
6. Я зна́ю, что есть плохи́е лю́ди, но никогда́ не встреча́лся с _____.

3

Чем едят люди?

Во мно́гих стра́нах едя́т _____ , _____ и

_____ . Но не везде́.

В Йндии, наприме́р, лю́ди едя́т _____ , а в Кита́е, в Коре́е

и в Япо́нии едя́т _____ . Кита́йская ку́хня и япо́нская ку́хня

сейча́с о́чень популя́рные в ми́ре. Ру́сские лю́бят _____ , то́лько

не все уме́ют их есть. Рабо́тать _____ тру́дно, но ве́село.

Вы согла́сны, что в де́тстве еда́ была́ вкусне́е? А почему́? Мо́жет быть, потому́

что де́ти едя́т _____ ? Психо́логи говоря́т, что э́то поле́зно.

быть		интересова́ться	
стать	+ Instr.	увлека́ться	+ Instr.
рабо́тать		занима́ться	

4

1. Я люблю́ занима́ться _____ (спорт), я хочу́ рабо́тать _____ _____ (фи́тнес-инстру́ктор).
2. Моя́ жена́ увлека́ется _____ (будди́зм). Она́ занима́ется _____ (йо́га) и _____ (медита́ция).
3. Я люблю́ занима́ться _____ (нау́ка). Я хочу́ стать _____ (профе́ссор).
4. Е́сли ты занима́ешься _____ (би́знес), тебе́ нужны́ стальны́е не́рвы.
5. У вас краси́вая фигу́ра. Вы занима́етесь _____ (бале́т)?
6. Я сейча́с мно́го рабо́таю. Я не зна́ю, _____ (что) занима́ться на пе́нсии.
7. Наш сын увлека́ется _____ (маши́ны). Он хо́чет быть _____ (пило́т) «Фо́рмулы-1».
8. Студе́нты интересу́ются _____ (языки́), но не хотя́т занима́ться _____ (грамма́тика).
9. Лю́ди не интересу́ются _____ (эконо́мика), они́ интересу́ются то́лько _____ (де́ньги).
10. Ты примити́вный челове́к! Ты интересу́ешься то́лько _____ (футбо́л)!
11. Я не увлека́юсь _____ (иску́сство), для меня́ э́то про́сто рабо́та.
12. _____ (Что) увлека́ются твои́ де́ти? Я хочу́ купи́ть им пода́рок.

5 ОТВЕЧАЕМ НА ВОПРОСЫ:

• Что и с чем едя́т лю́ди в ва́шей стране́?
• Что вы зна́ете о ру́сской ку́хне?
• Каки́е ру́сские блю́да вы про́бовали?

ПОСМОТРИТЕ НА КАРТИНКИ И СКАЖИТЕ, ЧТО ВЫ ВИДИТЕ. КАК НАЗЫВАЮТСЯ ЭТИ БЛЮДА? С ЧЕМ ОНИ?
КАКИЕ БЛЮДА РУССКИЕ?

Блю́да: пиро́г _4_ , лаза́нья ___ , борщ ___ , су́ши ___ , пельме́ни ___ , га́мбургер ___ ,
блины́ ___ , та́кос ___ .

ПРОЧИТАЙТЕ ТЕКСТ И ДАЙТЕ ЕМУ НАЗВАНИЕ.

В ка́ждой стране́ есть национа́льная ку́хня и люби́мые проду́кты. Кита́йцы и япо́нцы всё едя́т с ри́сом, францу́зы — с вино́м и со́усом, италья́нцы — с сы́ром, а ру́сские — с хле́бом и смета́ной. Иностра́нцы говоря́т, что ру́сская ку́хня сли́шком жи́рная и э́то пло́хо для фигу́ры.

Пра́вда, что ру́сские лю́бят есть жи́рную еду́: мя́со с карто́шкой, хлеб с ма́слом, сала́ты с майоне́зом, пироги́. Мно́гие лю́ди ду́мают, что э́то результа́т холо́дного кли́мата. Но нельзя́ сказа́ть, что э́то так пло́хо для фигу́ры. Е́сли вы бы́ли в Росси́и, вы ви́дели, каки́е здесь краси́вые де́вушки.

Са́мые популя́рные ру́сские блю́да: борщ со смета́ной, пельме́ни, пироги́ и блины́.

Пироги́ и блины́ де́лают с мя́сом, ку́рицей, ры́бой, гриба́ми и да́же икро́й. Де́ти о́чень лю́бят сла́дкие пироги́ с фру́ктами.

Тури́сты лю́бят про́бовать ру́сскую ку́хню. Когда́ они́ едя́т пироги́, они́ обы́чно забыва́ют о фигу́ре, а то́лько говоря́т, как э́то вку́сно. А мы говори́м: «Прия́тного аппети́та!»

НАПИШИТЕ ВСЕ ПРОДУКТЫ, КОТОРЫЕ ЕСТЬ В ТЕКСТЕ. СКОЛЬКО ВЫ НАПИСАЛИ?

рис, _____

_____

_____

6 **ПРОЕКТ. СДЕЛАЙТЕ ПРЕЗЕНТАЦИЮ «НАЦИОНАЛЬНАЯ КУХНЯ МОЕЙ СТРАНЫ».**
РАССКАЖИТЕ, ГДЕ ВЫ ЖИВЁТЕ. КАКАЯ У ВАС НАЦИОНАЛЬНАЯ КУХНЯ?
ВЫ МОЖЕТЕ ПРИГОТОВИТЬ ЛЮБИМОЕ БЛЮДО ИЛИ ПОКАЗАТЬ ЕГО ФОТОГРАФИИ.

1 ПИШЕМ ВОПРОСЫ.

Модель:

1) стать врачо́м — кем?
2) стать у́мным — каким?

1. быть до́брой — _____
2. быть ма́мой — _____
3. стать друзья́ми — _____
4. стать бога́тым — _____

5. рабо́тать такси́стом — _____
6. рабо́тать с детьми́ — _____
7. быть краси́вой — _____
8. стать изве́стными — _____

2 ПИШЕМ ВОПРОСЫ И ОТВЕТЫ.

1. (Како́й спорт) _____ вы занима́етесь?

2. С (каки́е стра́ны) _____ дру́жит ва́ша страна́?

3. С (каки́е сосе́ди) _____ комфо́ртно жить?

4. С (каки́е лю́ди) _____ вам прия́тно обща́ться, жить, рабо́тать?

5. С (кака́я же́нщина) _____ мужчи́на сча́стлив?

6. С (како́й мужчи́на) _____ же́нщина сча́стлива?

7. С (каки́е живо́тные) _____ нельзя́ жить в кварти́ре?

8. Над (каки́е стра́ны и океа́ны) _____ вы лета́ли?

3 КАК ВЫ СЧИТАЕТЕ, КАКИМИ ОНИ **ДОЛЖНЫ** И **НЕ ДОЛЖНЫ** БЫТЬ?

1. Дом должен быть большим... _____

2. Семья́ _____

3. Шко́ла _____

4. Университе́т _____

5. Рабо́та ....

6. Еда́ ....

7. Медици́на ....

8. Страна́ ....

9. Жизнь ....

4 **Где они находятся?**

под, над, между, рядом с

1 **КУДА ВЫ ХОТИТЕ ПОЙТИ, А КУДА НЕ ХОТИТЕ ИДТИ?**

сего́дня ве́чером

Я хочу́ _____

Я не хочу́ _____

в выходны́е

_____

_____

в день рожде́ния

_____

_____

КУДА ВЫ ХОТИТЕ ПОЕХАТЬ, А КУДА НЕ ХОТИТЕ ЕХАТЬ?

на кани́кулы / в о́тпуск

_____

_____

на Но́вый год / на Рождество́

_____

_____

рабо́тать

_____

_____

2 **КУДА ВЫ ПОЙДЁТЕ/ПОЕДЕТЕ, ЕСЛИ:**

- Вы вы́играете миллио́н е́вро?
- Вы потеря́ете ключи́ от до́ма?
- У вас бу́дет ужа́сное настрое́ние?
- До́ма бу́дет конфли́кт?
- У вас бу́дет сва́дьба?
- У вас в стране́ бу́дет револю́ция?
- Вы потеря́ете рабо́ту?

3

Что они делали вчера? Что они будут делать завтра? Что сначала, а что потом?

Модель:

Да́рья: бассе́йн — рабо́та — столо́вая ➪

1) Вчера́ Да́рья снача́ла пошла́ в бассе́йн, из бассе́йна она́ пошла́ на рабо́ту, а по́сле рабо́ты пошла́ в столо́вую.

2) За́втра у́тром Да́рья снача́ла пойдёт в бассе́йн, пото́м на рабо́ту, а по́сле рабо́ты пойдёт в столо́вую.

Никола́й: банк (рабо́та) — те́ннис — рестора́н — дом ➪

Йнга: шко́ла — кафе́ — кино́ — дом ➪

Тури́сты: музе́й — обе́д (кафе́) — экску́рсия по го́роду — сувени́рный магази́н — у́жин (рестора́н) — конце́рт — бар — гости́ница ➪

Куда они ездили? / Куда они поедут? Куда сначала, а куда потом?

Ро́берт — инве́стор. ➪
Ро́берт: Росси́я — Казахста́н — Узбекиста́н — Туркмениста́н — А́нглия

Жан-Пье́р и Катри́н — журнали́сты. ➪
Они́: Ли́вия — Си́рия — Ира́к — Ту́рция — Фра́нция

Эли́за — студе́нтка из Норве́гии, она́ изуча́ет ру́сский язы́к и о́чень лю́бит Росси́ю. ➪
Эли́за: Москва́ — Яросла́вль — Вели́кий Но́вгород — Псков — Санкт-Петербу́рг — Норве́гия

Модель:

Где профéссор? — _____ (конферéнция). ⇨
Где профéссор? — Он поехал на конференцию.

1. Алло́! Па́па до́ма? — _____ (рабо́та).
2. Ты не зна́ешь, где Ли́нда? — _____ (кафé).
3. Влади́мир сейча́с в Москвé? — _____ (Кита́й).
4. Вы не ви́дели И́горя? — _____ (банк).
5. Ната́ша и Анто́н в Петербу́рге? — _____ (Финля́ндия)
6. Ко́ля сего́дня до́ма? — _____ (рыба́лка).
7. Привéт! Я ищу́ Ка́тю... — _____ (концéрт).
8. А почему́ Дени́са нет в о́фисе? — _____ (командиро́вка).

Модель:

1) А́нна посмотрéла в зéркало и пошла в сало́н красоты́.
2) Нильс купи́л билéт и поехал во Владивосто́к. Он ехал на по́езде 6 дней.

1. У́тром И́горь встал и _____ на рабо́ту. Он _____ 2 часа́, так как была́ больша́я про́бка.
2. По́сле шко́лы дéти _____ в аквапа́рк. Они́ _____ и éли моро́женое.
3. Друзья́ купи́ли мя́со и _____ на пикни́к. Они́ _____ и расска́зывали анекдо́ты.
4. По́сле балéта тури́сты _____ в гости́ницу. Они́ _____ и по́стили фотогра́фии.
5. Спортсмéн _____ на Олимпиа́ду. Он _____ и спал, чтобы эконо́мить энéргию.
6. У́тром тури́сты _____ на экску́рсию. Они́ _____ и фотографи́ровали ка́ждый дом.
7. У Ми́ши болéл зуб. Ми́ша _____ к стомато́логу. Он _____ и боя́лся.

Урок 52

6

WB14

Читаем текст, пишем формы пойти/поехать.

— Не понимаю, как можно было за границей потерять паспорт?! Теперь что делать?

— Пойдём в консульство, они скажут, что делать.

— Подожди, давай попробуем сначала паспорт найти. Ты помнишь, что ты вчера делал?

— Ну конечно! Утром я встал и _____ на завтрак: здесь, в гостинице. После завтрака сразу _____ в Лувр: я слышал, там очереди. В Лувре я был до обеда, очень понравилось! А из Лувра я _____ в ресторан. Пообедал и _____ гулять, посмотрел Нотр-Дам, выпил кофе и вечером _____ в театр.

— И всё?

— Всё, после театра взял такси и _____ в гостиницу.

— Ладно, завтра поедем искать: _____ в Лувр, в ресторан, в театр, а если не найдём, тогда _____ консульство.

— Снова в Лувр? Отличный план!

7

WB15

Впишите формы пойти/поехать. Потом слушайте и проверяйте.

Конечно, ходить в университет очень интересно, но все студенты любят каникулы!

Эрика хочет _____ в Италию. В Риме она планирует _____ в Ватикан и посмотреть Колизей. Потом она хочет _____ в Венецию и в Милан. Она любит оперу и мечтает в Милане _____ в театр.

Саймон _____ в Россию, в Санкт-Петербург, _____ в Эрмитаж и в Русский музей, потом на поезде _____ в Москву: хочет _____ в Кремль и на балет, а потом он собирается _____ на север, в Архангельск. Может быть, он даже _____ на Соловки — острова в Белом море.

Элиза изучает китайский язык и мечтает на каникулы _____ в Китай. Сейчас она читает книги о Пекине и Шанхае и планирует, куда она хочет _____ .

8 Если студенты на каникулы хотят поехать в вашу страну, куда надо поехать и куда там пойти, а куда не надо ходить?

НОВЫЕ СЛОВА

УРОК 53

1

ВЫБИРАЕМ И ПИШЕМ ПРЕФИКСЫ **при-, у-, в-, вы-, пере-**:

1. Вы ча́сто _____хо́дите у́лицу на кра́сный свет?

2. Я _____шёл с рабо́ты ра́ньше, потому́ что у меня́ боле́ла голова́.

3. Когда́ лю́ди _____хо́дят из зоопа́рка, живо́тные де́лают всё, что хотя́т.

4. Е́сли ты сейча́с _____йдёшь, ты бо́льше никогда́ меня́ не уви́дишь.

5. Когда́ я _____хожу́ из самолёта, я всегда́ говорю́: «Сла́ва бо́гу!»

6. Вы не мо́жете _____е́хать в на́шу страну́, у вас о́чень ста́рая маши́на.

7. Я могу́ встре́тить вас на вокза́ле. Во ско́лько вы _____езжа́ете?

8. За́втра у нас сва́дьба. _____е́дет ты́сяча госте́й!

9. Я никогда́ не _____хожу́ из до́ма без креди́тки, потому́ что я люблю́ шо́пинг.

10. Води́тель _____шел из маши́ны и взял на́ши чемода́ны.

[**при-**] ———→ ●

2

Приходи́ть — прийти́, приезжа́ть — прие́хать.

Моде́ль:

Мы вче́ра _____ домо́й в 8 часо́в. ⇨
Мы вче́ра при**шли́** домо́й в 8 часо́в.

1. Я люблю́, когда́ _____ го́сти. А вы? 2. Вы всегда́ _____ во́время? 3. Тури́сты обы́чно _____ в Петербу́рг на бе́лые но́чи. 4. Э́то Ди́тер. Вчера́ он _____ из Герма́нии. 5. Я жду тебя́ за́втра ве́чером. Ты _____? 6. Почему́ Дед Моро́з _____ то́лько зимо́й? 7. Вчера́ мы бы́ли в теа́тре, поэ́тому _____ домо́й о́чень по́здно. 8. Вы иностра́нец? Отку́да вы _____? 9. Моя́ соба́ка о́чень ра́да, когда́ я _____ домо́й из о́тпуска. 10. Когда́ клие́нты _____ в наш магази́н, они́ не мо́гут уйти́ без поку́пки!

● [**у-**] ———→

3

Уходи́ть — уйти́, уезжа́ть — уе́хать.

1. Вчера́ у нас бы́ли го́сти, они́ _____ в по́лночь. 2. Е́сли все тури́сты _____, у ги́дов не бу́дет рабо́ты 3. Почему́ вы _____? Наш конце́рт ещё не зако́нчился! 4. Ра́ньше лю́ди _____ воева́ть и рабо́тать, а сейча́с _____ отдыха́ть. 5. Не на́до _____, я тебе́ всё объясню́! 6. Го́сти сидя́т уже́ 6 часо́в. Когда́ они́, наконе́ц, _____?! 7. Когда́ студе́нт _____ с экза́мена, он забы́л всё, что учи́л. 8. Е́сли в стране́ бу́дет револю́ция, все бога́тые лю́ди _____.

92

в(о)-

4 **Входи́ть – войти́, въезжа́ть — въе́хать.**

Моде́ль:

Я откры́л дверь и _____ в ко́мнату. ⇨

Я откры́л дверь и **вошёл** в ко́мнату.

1. Когда́ вы _____ в теа́тр, вы должны́ показа́ть биле́т. 2. Я закры́л дверь, никто́ сюда́ не _____ . 3. По́езд _____ в тонне́ль, я ничего́ не ви́жу. 4. Е́сли вы _____ в страну́ как тури́ст, вы не мо́жете здесь рабо́тать. 5. Я _____ в дом без ключа́: мой дом зна́ет мой го́лос! 6. То́лько фейсконтро́ль реша́ет, кто мо́жет _____ в клуб. 7. Что́бы _____ на сайт, докажи́те, что вы не ро́бот!

вы-

5 **Выходи́ть – вы́йти, выезжа́ть — вы́ехать.**

Моде́ль:

Вы сейча́с _____ ? ⇨

Вы сейча́с выходите?

1. Я сейчас _____ , бу́ду через полчаса́! 2. Как мы _____ на у́лицу? Смотри́, како́й дождь! 3. Мы уже́ _____ из го́рода, сейча́с мо́жно е́хать быстре́е. 4. Жди́те меня́, бу́ду через 10 мину́т, я уже́ _____ ! 5. За́втра мы _____ ра́но у́тром, нам на́до до ве́чера прие́хать в Рим. 6. Извини́те, мо́жно _____ ?! Мне ну́жно в туале́т. 7. Мы _____ на сле́дующей остано́вке. 8. Е́сли у вас есть соба́ка, вам на́до ка́ждый ве́чер _____ из до́ма.

пере-

6 **Переходи́ть — перейти́, переезжа́ть — перее́хать.**

Моде́ль:

Где мо́жно _____ у́лицу? ⇨

Где мо́жно перейти́ у́лицу?

1. Вы всегда́ _____ у́лицу на зелёный свет? 2. Мои́ друзья́ неда́вно _____ в друго́й го́род. 3. Вы _____ у́лицу на кра́сный свет, вы должны́ заплати́ть штраф! 4. Где здесь мост? Я хочу́ _____ через кана́л. 5. Е́сли бу́дет кри́зис, лю́ди _____ в другу́ю страну́. 6. Е́сли ты хо́чешь стать актри́сой, тебе́ на́до _____ в Лос-А́нджелес. 7. Когда́ вы _____ грани́цу, вы должны́ показа́ть па́спорт и ви́зу. 8. Молоды́е хотя́т _____ из дере́вни в го́род, а ста́рые — наоборо́т.

за-

7 **Заходи́ть — зайти́, заезжа́ть — зае́хать.**

Модель:

В музе́е тури́сты лю́бят _____ в магази́н сувени́ров. ⇨
В музе́е тури́сты лю́бят заходи́ть в магази́н сувени́ров.

1. По́сле рабо́ты я ча́сто _____ в кафе́. 2. Мы пое́дем домо́й, но по доро́ге _____ в суперма́ркет. 3. До́ма нет хле́ба, на́до по́сле рабо́ты _____ в суперма́ркет. 4. Я могу́ опозда́ть на встре́чу, я хочу́ по доро́ге _____ в сало́н красоты́. 5. Когда́ пошёл дождь, мы _____ в магази́н и купи́ли зо́нтик. 6. У нас ма́ло бензи́на, на́до _____ на «Шелл». 7. У́тром я пое́ду на рабо́ту и хочу́ по доро́ге _____ в банк. 8. Мы не могли́ е́хать день и ночь, поэ́тому _____ в ке́мпинг поспа́ть.

8 **ПРОЧИТА́ЙТЕ РУ́ССКУЮ СКА́ЗКУ И ПОСТА́ВЬТЕ ЕЁ ЧА́СТИ В ПРА́ВИЛЬНОМ ПОРЯ́ДКЕ.**

Ма́ша и медве́дь

[ ] А дом у медве́дя был большо́й: больши́е о́кна, больши́е столы́, больши́е сту́лья. Что де́лать? Жила́ Ма́ша у медве́дя, обе́д ему́ гото́вила, ко́мнаты убира́ла, во́ду носи́ла, стира́ла, а ве́чером ска́зки расска́зывала. А домо́й уйти́ не могла́!

[ ] До́лго Ма́ша ходи́ла в лесу́, пла́кала, крича́ла... Уже́ ве́чер, стра́шно Ма́ше в лесу́. И вдруг ви́дит она́ — идёт медве́дь. Говори́т медве́дь: «Вот кто бу́дет мне до́ма помога́ть!» И пришли́ они́ к медве́дю в дом.

[1] Да́вным-давно́[1] в одно́й дере́вне жи́ли-бы́ли де́душка и ба́бушка. И была́ у них вну́чка Ма́ша — у́мная и хоро́шая, и все сосе́ди её люби́ли.

> [1] Да́вны́м-давно́ = о́чень давно́.

[ ] Пришёл медве́дь в дере́вню. Вдруг прибежа́ли соба́ки. Медве́дь их уви́дел и убежа́л в лес! А корзи́ну с Ма́шей и пирожка́ми оста́вил. Пришла́ Ма́ша домо́й, встре́тилась с ба́бушкой и де́душкой и рассказа́ла им э́ту исто́рию.

[ ] Идёт медве́дь по́ лесу и не зна́ет, что в корзи́не у него́ не то́лько пирожки́. Ма́ша то́же там спря́талась! Хо́чет он останови́ться и попро́бовать пирожо́к, а Ма́ша ему́ говори́т: «Не ешь пирожо́к, я всё ви́жу!» Перешёл он че́рез ре́ку, хо́чет попро́бовать пирожо́к, а Ма́ша ему́ говори́т: «Не ешь пирожо́к, я всё ви́жу!» Прошёл он че́рез лес, вы́шел из ле́са, сно́ва хо́чет попро́бовать пирожо́к, а Ма́ша ему́ говори́т: «Не ешь пирожо́к, я всё ви́жу!»

☐ Хорошо́ медве́дю, а Ма́ша домо́й уйти хо́чет, но ме́дведь ей не разреша́ет. Нра́вится ему́ Ма́ша! Ка́ждый день медве́дь ухо́дит в лес, а Ма́ша до́ма ждёт. Ве́чером прихо́дит медве́дь домо́й, а Ма́ша уже́ у́жин приготовила!

☐ Одна́жды пригласи́ли де́вушки Ма́шу в лес. Пошла́ она́ в лес, ходи́ла она́, ходи́ла, смо́трит — а де́вушек нет! Перешла́ она́ через ре́ку, обошла́ вокру́г о́зера — нет! Звала́ она́ де́вушек, ждала́ — никто́ не отвеча́ет! Не зна́ет Ма́ша доро́гу и не мо́жет вы́йти из ле́са.

☐ Ду́мает Ма́ша о де́душке и ба́бушке, и гру́стно ей: хо́чет она́ домо́й. Ду́мала она́, ду́мала и одна́жды приготовила вку́сные пирожки́ и говори́т медве́дю: «Е́сли ты не хо́чешь, чтобы я уходи́ла, иди́ к ба́бушке и де́душке и неси́ им э́ти пирожки́, а я бу́ду до́ма ждать. Ты пото́м приходи́ — я у́жин приготовлю». — «Хорошо́!» — говори́т медве́дь.

© Е. Рачёв

9 РАССКАЖИТЕ ОБ ИНТЕРЕСНОМ ПУТЕШЕСТВИИ.

....
....
....
....
....
....

НОВЫЕ СЛОВА

♥ ....   💔 ....
....
....
....
....

1

Модель:

Кто?	человéк	С кем?	с человеком
Когó?	человека	О ком?	о человеке
Комý?	человеку		

Кто?	друг	подрýга	друзья́
Когó?			
Комý?			
С кем?			
О ком?			

Кто?	турѝсты	жéнщины	
Когó?			
Комý?			
С кем?			
О ком?			

2

Я	Вы	Ты	Он	Онá	Они
Привéт!					
Я актрѝса.	А вы?	А	А	А	А
Меня́ зовýт Марѝна.	А	А	А	А	А
Мне 32 гóда.	А	А	А	А	А
У меня́ есть попугáй.	А	А	А	А	А
Все пѝшут **обо мнé**.	А	А	А	А	А
Все дрýжат **со мной**.	А	А	А	А	А

НСВ/СВ

3

Выберите инфинитив НСВ/СВ.

Мечтá худóжника

Никѝта — талáнтливый худóжник, как мѝнимум он так дýмает. Сейчáс он ýчится в университéте, изучáет экономѝку. Это практѝчно, но скýчно. Он хóчет (бросáть — брóсить) университéт, потомý что мечтáет тóлько (рисовáть — нарисовáть), (покáзывать — показáть) картѝны в галерéях, (продавáть — продáть) их и (зарабáтывать — заработáть) на жизнь. Сначáла он óчень хóчет (дéлать — сдéлать) пéрвую вы́ставку и (продавáть — продáть) пéрвую картѝну.

Выберите глагол НСВ/СВ.

Ужасный день

Вчера был ужасный день. Я, как обычно, (вставать — встать) в 6:00 и (пить — выпить) кофе. Сначала всё было хорошо, но потом в душе я (падать — упасть) и (ломать — сломать) ногу. Я (звонить — позвонить) на работу и (рассказывать — рассказать), что (случаться — случиться), но директор не поверил. Я (сидеть — посидеть) дома один и не знал, что (делать — сделать). Потом я (понимать — понять), что глупо просто (сидеть — посидеть) и (ждать — подождать). Я (звонить — позвонить) в клинику, но они (говорить — сказать), что у них выходной... В этот момент я (слышать — услышать) красивую мелодию. Это был мой будильник!

4   **Впишите правильную форму глагола:**

1. — Мы ищем хороший ресторан в центре города.
   — Сейчас я _____! (находить — найти)

2. — Вы уже смотрели русский балет?
   — Ещё нет. Я скоро еду в Россию и там _____. (смотреть — посмотреть)

3. — Почему вы не звоните в банк?
   — Завтра _____! (звонить — позвонить)

4. — Почему вы не отвечаете на письма?
   — Сейчас я их читаю, а потом сразу _____! (отвечать — ответить)

5. — А почему вы не платите зарплату?
   — Ладно, скоро _____! (платить — заплатить)

6. — Почему вы не подписываете контракт?
   — Куда спешить? Потом _____! (подписывать — подписать)

7. — Я хочу есть!
   — Хорошо, я _____ (заказывать — заказать) пиццу!

8. — Вы уже читали моё резюме?
   — Извините, ещё нет. Я _____ его сегодня вечером. (читать — прочитать)

5

Модель: — Ты уже **заплати́л** за гости́ницу?
— Нет, сейча́с **заплачу́**.

Семе́йная па́ра плани́рует о́тпуск.

— Ты получи́л зарпла́ту?

— Ещё нет, через неде́лю _____ . Ты уже́ взяла́ о́тпуск на рабо́те?

— Э́то не пробле́ма, за́втра _____ Ты купи́л биле́ты на самолёт?

— Не купи́л, в суббо́ту _____ .

— Ты позвони́л в турфи́рму?

— Не́ было вре́мени, пото́м _____ . Ты уже́ посмотре́ла сайт гости́ницы?

— Нет, ве́чером _____ !

— Ты уже́ собрала́ чемода́н?

— Ещё ра́но, пото́м _____ ! Ты уже́ заказа́л экску́рсии?

— Коне́чно нет, пото́м _____ !

— Ты уже́ вы́учил, как по-испа́нски «спаси́бо»?

— Нет, забы́л, в самолёте _____ ! Ты уже́ сфотографи́ровалась на ви́зу?

— Ой, нет! За́втра _____ !

КОМУ?

6

1. Кому́ сын обеща́л звони́ть? (ма́ма)

2. Кому́ студе́нты отвеча́ют на экза́мене? (профе́ссор)

3. Кому́ преподава́тель объясня́ет грамма́тику? (студе́нты)

4. Кому́ врач рекоменду́ет дие́ту? (пацие́нт)

5. Кому́ Ди́ма дал ры́бу? (ко́шка)

6. Кому́ вы пи́шете в Интерне́те? (все)

7. Кому́ продаю́т сувени́ры? (тури́сты)

8. Кому́ все говоря́т спаси́бо? (врач)

9. Кому́ в теа́тре да́рят цветы́? (актёры)

10. Кому́ помога́ют бога́тые стра́ны? (А́фрика)

7 **Нра́виться / не нра́виться.**

Модель:

Фото́граф — ... краси́вые лю́ди. ⇨
Фото́графу нра́вятся краси́вые лю́ди.

1. Же́нщина — ... ма́ленькие де́ти, ... бокс, ... дие́ты, ... свой во́зраст

2. Де́ти — ... живо́тные, ... приро́да, ... шко́ла, ... гуля́ть, ... убира́ть ко́мнату

3. Соба́ка — ... ко́шки, ... гуля́ть, ... ветерина́р, ... игра́ть, ... сиде́ть на ку́хне

4. Ко́шки — ... свобо́да, ... хозя́ин, ... фру́кты, ... спать, ... смотре́ть в окно́

5. Врач — пацие́нты, инфе́кции, рабо́тать но́чью, зарпла́та

6. Программи́ст — ... ви́русы, ... писа́ть програ́ммы, ... рабо́тать но́чью, ... ха́керы

7. Лю́ди — ... со́лнце, ... дождь, ... краси́вая жизнь, ... бога́тые лю́ди

8 **(Не) ну́жен — нужна́ — ну́жно — нужны́.**

1. (Тури́сты) _____ де́ньги, _____ гости́ница, _____ вре́мя, _____ экску́рсии, _____ гид, _____ сувени́ры.

2. (Де́ти) _____ ма́ма, _____ па́па, _____ друзья́, _____ учи́ться и игра́ть, (они́) _____ всё!

3. (Учи́тель) _____ тала́нт, _____ образова́ние, _____ энтузиа́зм и _____ хари́зма.

4. (Журнали́сты) _____ сканда́лы, _____ свобо́да, _____ Интерне́т, _____ сенса́ции и, коне́чно, _____ пра́вда.

5. (Госуда́рство) _____ ли́дер, _____ де́ньги, _____ а́рмия, _____ нало́ги, _____ стаби́льность, _____ прави́тельство и _____ лю́ди.

6. (Лю́ди) _____ здоро́вье, _____ дом, _____ любо́вь и мечта́! (Они́) не _____ поли́тика и не _____ конфли́кты.

7. (Живо́тные) _____ еда́, _____ лес, _____ мо́ре, _____ приро́да, но им не _____ цивилиза́ция и не о́чень _____ лю́ди.

8. (Плане́та) _____ чи́стая приро́да, _____ живо́тные, _____ мир, (она́) не _____ прогре́сс, не _____ фа́брики, не _____ война́ и не _____ на́ши амби́ции.

КЕМ? ЧЕМ?

9

Модель:

А) — Тебе нра́вится пи́цца с гриба́ми?
— Да, о́чень. А тебе́?

Б) — Тебе́ нра́вится пи́цца с анана́сом?
— Мне не нра́вится пи́цца с анана́сом. А тебе́?

пи́цца	грибы́	мя́со	о́вощи
спаге́тти	сыр	анана́с	майоне́з
блины́	ры́ба	со́ус	морепроду́кты
мя́со	креве́тки	ветчина́	шокола́д

С

• Что и с чем едя́т лю́ди в ва́шей стране́?
• Что есть поле́зно? А что есть стра́нно?

11

1. В Росси́и не интересу́ются _____ (америка́нский футбо́л).

2. Я встреча́юсь с _____ (краси́вая де́вушка). Она́ увлека́ется _____ (латиноамерика́нские та́нцы).

3. Я изуча́ю ру́сский язы́к, что́бы рабо́тать с _____ (ру́сские тури́сты).

4. Е́сли хо́чешь быть _____ (культу́рный челове́к), ты до́лжен интересова́ться _____ (класси́ческая му́зыка).

5. Я зна́ю, _____ (кто) я хочу́ стать! Я хочу́ рабо́тать _____ (рестора́нный кри́тик).

6. Е́сли хо́чешь стать _____ (популя́рная актри́са), ты должна́ быть _____ (у́мная и краси́вая).

7. Когда́ я плачу́ _____ (креди́тная ка́рта), я всегда́ бою́сь потра́тить сли́шком мно́го.

8. Ра́ньше я был _____ (обы́чный челове́к), а сейча́с стал _____ (большо́й нача́льник).

9. Я не бою́сь гуля́ть _____ (тёмная ночь), я всегда́ гуля́ю с _____ (больша́я соба́ка).

10. Я хочу́ стать _____ (тележурнали́ст), что́бы ча́ще встреча́ться с _____ (изве́стные лю́ди).

11. На у́жин у меня́ па́ста с _____ (италья́нский сыр) и мя́со с _____ (кра́сное вино́).

12. Я люблю́ рабо́тать с _____ (иностра́нные студе́нты), и они́ лю́бят занима́ться _____ (ру́сская грамма́тика).

Я мно́го пил и ма́ло спал,
Я по́здно встал и уже́ _____
Я не по́нял _____ и не зна́ю _____ ;
Ты меня́ понима́ешь, а я тебя́ — нет!

Я чита́ю те́ксты и _____ слова́,
У меня́ от них _____ ,
У меня́ от них культу́рный шок,
И я не понима́ю, почему́ _____ !

У меня́ есть _____ и друзья́,
Но они́ не всегда́ понима́ют меня́.
Они́ говоря́т _____ ,
У них ка́ждое сло́во — как вы́стрел!

Учи́тель хо́чет знать, что я _____ ,
Но я понима́ю — э́то то́лько игра́!
И я, как всегда́, говорю́, что _____ ,
А он не понима́ет, почему́ я уста́л!

Говори́ по-ру́сски! —
В Москве́ и в Ирку́тске!

Я ем то́лько борщ, оливье́ и _____ ,
_____ мне сня́тся ру́сские сны,
_____ «Кино́» и «Ленингра́д»
Я улыба́юсь, _____ когда́ _____ .

Я уже́ люблю́ А́нну Каре́нину,
Я начина́ю понима́ть Ле́нина,
Я _____ «Войну́ и мир»,
Я хочу́ в Сиби́рь, на Ура́л и Таймы́р.

Я ношу́ уша́нку и «Адида́с»,
Я научи́лся _____ и квас,
Я уже́ люблю́ смотре́ть хокке́й
И _____ акце́нтом говорю́ «Оке́й»!

Я учу́ ру́сский _____ ,
Я пью кефи́р и смотрю́ бале́т,
Я зна́ю, когда́ _____
И говорю́ «О, бо́же!» вме́сто «My God!»

Говори́ по-ру́сски! —
В Москве́ и в Ирку́тске!
Говори́ по-ру́сски! —
В Москве́ и в Ирку́тске!

https://learnrussian.ru/rap/

Я мно́го пил и ма́ло спал,
Я по́здно встал и уже́ уста́л.
Я не по́нял вопро́с и не зна́ю отве́т;
Ты меня́ понима́ешь, а я тебя́ — нет!

Я чита́ю те́ксты и учу́ слова́,
У меня́ от них боли́т голова́,
У меня́ от них культу́рный шок,
И я не понима́ю, почему́ мне хорошо́!

У меня́ есть де́вушка и друзья́,
Но они́ не всегда́ понима́ют меня́.
Они́ говоря́т сли́шком бы́стро,
У них ка́ждое сло́во — как вы́стрел!

Учи́тель хо́чет знать, что я де́лал вчера́,
Но я понима́ю — э́то то́лько игра́!
И я, как всегда́, говорю́, что отдыха́л,
А он не понима́ет, почему́ я устал!

Говори́ по-ру́сски! —
В Москве́ и в Ирку́тске!

Я ем то́лько борщ, оливье́ и блины́,
Но́чью мне сня́тся ру́сские сны,
Я слу́шаю «Кино́» и «Ленингра́д»
Я улыба́юсь, то́лько когда́ я рад.

Я уже́ люблю́ А́нну Каре́нину,
Я начина́ю понима́ть Ле́нина,
Я хочу́ прочита́ть «Войну́ и мир»,
Я хочу́ в Сиби́рь, на Ура́л и Таймы́р.

Я ношу́ уша́нку и «Адида́с»,
Я научи́лся пить во́дку и квас,
Я уже́ люблю́ смотре́ть хокке́й
И с ру́сским акце́нтом говорю́ «Оке́й»!

Я учу́ ру́сский не́сколько лет,
Я пью кефи́р и смотрю́ бале́т,
Я зна́ю, когда́ Ста́рый Но́вый год
И говорю́ «О, бо́же!» вме́сто «My God!»

Говори́ по-ру́сски! —
В Москве́ и в Ирку́тске!
Говори́ по-ру́сски! —
В Москве́ и в Ирку́тске!

Текст 1

Nom. / Gen. / Accus. / Prep.

Из _____ (исто́рия)

_____ (ру́сская ку́хня)

Что вы зна́ете о _____ (ру́сская ку́хня)? Коне́чно, все зна́ют ру́сские _____ (блин), _____ (икра́), _____ (во́дка), _____ (борщ)... Блины́ — ста́рое ритуа́льное блю́до, кото́рое едя́т во вре́мя пра́здника Ма́сленицы, когда́ ждут _____ (весна́). Ча́сто говоря́т, что они́ си́мвол _____ (со́лнце).

Икра́ — традицио́нный ру́сский проду́кт. В Росси́и лю́бят не то́лько _____ (чёрная икра́), кото́рую хорошо́ зна́ют в _____ (мир), но и кра́сную и други́е, бо́лее дешёвые сорта́. Ры́ба то́же ра́ньше игра́ла большу́ю роль в _____ (ру́сская ку́хня), потому́ что в _____ (Росси́я) мно́го _____ (мо́ре) и _____ (река́) и всегда́ бы́ло мно́го _____ (ры́ба), а рели́гия не разреша́ла есть мя́со ка́ждый день.

Борщ — люби́мое блю́до почти́ в _____ (ка́ждая ру́сская семья́). Ещё ру́сские лю́бят шашлыки́ — блю́до из мя́са, кото́рое ча́сто гото́вят на _____ (да́ча) и́ли на _____ (приро́да).

Во́дки в Росси́и не́ бы́ло до _____ (пятна́дцатый век), пи́ли пи́во, мёд и́ли квас — популя́рный напи́ток, кото́рый де́лают из _____ (хлеб).

У _____ (ру́сские) всегда́ был настоя́щий культ _____ (хлеб). На се́вере _____ (Росси́я) обы́чно е́ли чёрный хлеб, а на ю́ге — бе́лый. Хлеб и соль всегда́ бы́ли на столе́ для _____ (го́сти). В нача́ле _____ (восемна́дцатый век), когда́ стро́или Санкт-Петербу́рг, строи́тели получа́ли хлеб беспла́тно.

Ра́ньше лю́ди е́ли не так, как сего́дня: в обы́чные дни е́ли немно́го. Наприме́р, царь Алексе́й Миха́йлович, оте́ц Петра́ Пе́рвого, ра́но у́тром ел на за́втрак хлеб и пил молоко́ и́ли квас, а на обе́д сно́ва ел хлеб и пил немно́го _____ (пи́во). А в пра́здники да́же у _____ (небога́тые лю́ди) на столе́ бы́ло 15–20 _____ (блю́до) из _____ (ры́ба), _____ (мя́со), _____ (о́вощи) и _____ (грибы́). А у _____ (ру́сский царь) могли́ обе́дать 1000 _____ (гость) и на столе́ бы́ло 500 блюд!

Сейча́с в Росси́и мно́го рестора́нов италья́нской, япо́нской и кита́йской ку́хни, но в _____ (ка́ждая ру́сская семья́) есть люби́мые блю́да _____ (ру́сская ку́хня).

Текст 2

Компаратив
Gen. / Accus.

ОТВЕТЬТЕ НА ВОПРОСЫ.

• Джордж О́руэлл писа́л: все живо́тные **равны́**, но не́которые равне́е, чем други́е. Это, коне́чно, **шу́тка**, но говори́т она́ о серьёзной пробле́ме. Вы понима́ете э́ту шу́тку?

• Как вы ду́маете, **нера́венство** — серьёзная пробле́ма?

• Сейча́с нера́венство бо́льше или ме́ньше, чем ра́ньше?

• Что ху́же: нера́венство люде́й в стране́ и́ли нера́венство стран в ми́ре?

ПРОЧИТА́ЙТЕ ТЕКСТ И ОТВЕ́ТЬТЕ НА ВОПРО́СЫ ПО́СЛЕ ТЕ́КСТА.

Свобо́да, ра́венство, бра́тство

Ра́ньше жизнь была́ про́ще: был бога́тый царь и́ли импера́тор, у _____ (он) бы́ло всё, а у _____ (лю́ди) — почти́ ничего́. Ну, мо́жет быть, друзья́ _____ (царь) жи́ли неплохо. Но то́лько пока́ они́ друзья́. Коне́ц _____ (**дру́жба**) — коне́ц _____ (жизнь). И коне́чно, всегда́ бы́ли лю́ди, _____ (кото́рый) ду́мали, как сде́лать жизнь лу́чше. Не про́сто ду́мали: писа́ли кни́ги, де́лали револю́ции, стро́или маши́ны для _____ (**техни́ческий прогре́сс**).

Сего́дня мы мо́жем реа́льно ви́деть, что да́же бе́дные лю́ди в _____ (бога́тые стра́ны) живу́т лу́чше, чем ра́ньше. У _____ (они́) есть тёплые дома́, еда́, оде́жда, они́ ре́же **умира́ют от** _____ (**боле́зни**) и ре́же хо́дят на _____ (война́). Мир стал намно́го лу́чше и **справедли́вее**.

Но да́же сего́дня лю́ди ду́мают: почему́ други́е живу́т лу́чше, чем я? Почему́ у них лу́чше дом, доро́же маши́на, они́ бо́льше путеше́ствуют? На э́тот вопро́с отвеча́ют ра́зные полити́ческие систе́мы. Капитали́зм говори́т: потому́ что бога́тые лю́ди лу́чше учи́лись, бо́льше рабо́тали, бо́льше рискова́ли, стро́или би́знес, они́ бо́лее **акти́вные**, и у них есть **пра́во** быть бога́че. Они́ бо́льше де́лают и бо́льше получа́ют. Ра́ньше э́та иде́я была́ популя́рнее, чем сейча́с, она́ **стимули́ровала** _____ (эконо́мика), и мно́гие стра́ны ста́ли бога́че.

Социали́зм говори́т, что бога́тые беру́т де́ньги бе́дных, и э́то де́лает их бога́че. Е́сли твой сосе́д бога́че, чем ты, — э́то нече́стно. Он не мо́жет быть лу́чше _____ (ты), потому́ что лю́ди **равны́**. Это о́чень популя́рная иде́я сего́дня, **осо́бенно** в _____ (Евро́па). Но есть интере́сный **парадо́кс**: в стра́нах капитали́зма

одни́ бога́че, други́е бедне́е, и бе́дные ча́сто **недово́льны**. Но обы́чно да́же э́ти бе́дные лю́ди живу́т бога́че, чем в стра́нах социали́зма. А вот в стра́нах, где **настоя́щий** социали́зм, нет _____ (бога́тые) и _____ (бе́дные), но **недово́льны** почти́ все.

Социалисти́ческие стра́ны говори́ли, что рабо́чие в них живу́т лу́чше, чем на За́паде. Но тогда́ почему́ лю́ди бежа́ли из _____ (Восто́чная Герма́ния) в _____ (За́падная), с _____ (Ку́ба) в США и́ли из _____ (Се́верная Коре́я) в _____ (Ю́жная)?

• А как вы ду́маете, что лу́чше: бо́лее краси́вая иде́я и́ли бо́лее эффекти́вная эконо́мика?
• Как мы мо́жем сде́лать жизнь лу́чше?

Текст 3

Gen. / Accus. anim.

ОТВЕТЬТЕ НА ВОПРОСЫ.

- Каки́х росси́йских писа́телей, музыка́нтов, поли́тиков и учёных вы зна́ете?
- Каки́х изве́стных люде́й из ва́шей страны́ зна́ют иностра́нцы?
- Кто нра́вится вам? А кто нет? Почему́?
- Вы лю́бите кла́ссику в му́зыке, литерату́ре, иску́сстве?
- Почему́ лю́ди лу́чше зна́ют поли́тиков, чем учёных? Кто из них важне́е?

ПРОЧИТАЙТЕ ТЕКСТ.

Тала́нты Росси́и

— Свен, я давно́ хоте́л спроси́ть, а почему́ ты изуча́л ру́сский язы́к? Ты эко́лог, а не фило́лог...

— Росси́я — э́то страна́, кото́рая всегда́ меня́ интересова́ла. Я в университе́те почти́ ничего́ не знал о Росси́и, но всегда́ хоте́л ви́деть Сиби́рь. Я ду́мал, что она́ как Шве́ция: се́вер, лес... То́лько о́чень больша́я! Пото́м я е́здил в Сиби́рь, рабо́тал там. А ещё у вас така́я прекра́сная литерату́ра! Я чита́л _____ (Достое́вский), _____ (Че́хов), _____ (Толсто́й). Их зна́ет весь мир!

— Вот интере́сно, все иностра́нцы зна́ют _____ (Толсто́й), _____ (Че́хов) и _____ (Достое́вский), и почти́ никто́ не чита́ет _____ (Пу́шкин), _____ (Го́голь) и́ли _____ (Булга́ков). Зна́ют ещё _____ (Солжени́цын), но чита́ют _____ (он) ма́ло. Ты не зна́ешь почему́?

— Все зна́ют _____ (Пу́шкин), но чита́ть _____ (он) тру́дно. Это же поэ́зия! Поэ́зию о́чень тру́дно переводи́ть. А без поэ́зии «Евге́ний Оне́гин», наприме́р, о́чень проста́я исто́рия: Татья́на лю́бит _____ (Оне́гин), Оне́гин не лю́бит _____ (Татья́на), Ле́нский лю́бит _____ (О́льга), Оне́гин убива́ет _____ (Ле́нский)... А пото́м, наоборо́т, Оне́гин лю́бит _____ (Татья́на), а Татья́на не лю́бит _____ (Оне́гин). Я понима́ю, что вы лю́бите поэ́зию, стиль...

— Вот ты говори́шь — поэ́зию... Иностра́нцы зна́ют _____ (Ахма́това), _____ (Бро́дский), а _____ (Блок) и́ли _____ (Ле́рмонтов) почти́ не зна́ют. В Росси́и, коне́чно, то́же ма́ло чита́ют _____ (шве́дские писа́тели). Все зна́ют А́стрид Ли́ндгрен и её _____ (Ка́рлсон), а ещё _____ (Нильс) из кни́ги _____ (Се́льма Лагерлёф).

— Мы ма́ленькая страна́... В ми́ре вообще́ зна́ют то́лько _____ (на́ши поп-музыка́нты)!

— Вообще́ э́то стра́нно: в ми́ре зна́ют _____ (Ле́нин), _____ (Ста́лин), а не _____ (Па́влов) и́ли _____ (Менделе́ев). И никто́ не зна́ет _____ (Королёв).

— Да́же я не зна́ю! А кто э́то?

— Инжене́р-констру́ктор. Он стро́ил раке́ты для спу́тника, для _____ (соба́ки) в ко́смосе и для _____ (Гага́рин). Ты _____ (Гага́рин) зна́ешь?

— Ну коне́чно!

— Вот! А _____ (Королёв) не зна́ешь. А раке́ту стро́ил _____ (Королёв)!

— Да, на́до знать _____ (инжене́р), кото́рый стро́ил раке́ту для _____ (Гага́рин). Зна́ешь, а ещё я о́чень люблю́ ру́сскую му́зыку. Я зна́ю _____ (ру́сские компози́торы): _____ (Чайко́вский), _____ (Му́соргский), _____ (Шостако́вич) и ещё одного́, у него́ дли́нная фами́лия...

— _____ (Ри́мский-Ко́рсаков)?

— То́чно!

Варианты заданий:

• Сде́лайте прое́кт «Забы́тый ге́ний»: расскажи́те о челове́ке, кото́рый мно́го сде́лал, но лю́ди его́ забы́ли.

• Расскажи́те иностра́нцам о тала́нтливых лю́дях ва́шей страны́.

• Сде́лайте свой рейтинг са́мых ва́жных люде́й ру́сской исто́рии и культу́ры. Сравни́те свой рейтинги в гру́ппе.

Текст 4

Gen.

Лыковы

Это абсолю́тно фантасти́ческая исто́рия! Ле́том 1978 го́да гру́ппа _____ (гео́лог) рабо́тала на ю́ге _____ (Сиби́рь), недалеко́ от _____ (Монго́лия). Наве́рное, вы слы́шали, что в Сиби́ри мно́го _____ (ресу́рс): мно́го _____ (нефть, газ, зо́лото), но ма́ло _____ (го́род) и дереве́нь. Там, в тайге́, гео́логов ждал невероя́тный сюрпри́з.

Тайга́ — э́то сиби́рский лес, лес без конца́: от _____ (А́рктика) до _____ (Монго́лия) и от _____ (Ура́л) до _____ (Ти́хий океа́н). В Росси́и — 24 _____ (проце́нт) _____ (лес) плане́ты! В тайге́ мно́го _____ (волк) и _____ (медве́дь), но почти́ нет _____ (лю́ди). И там гео́логи нашли́ ма́ленький до́мик, где жи́ли лю́ди. Невероя́тно! Как могли́ лю́ди жить здесь одни́, так далеко́ от _____ (цивилиза́ция)? В Сове́тском Сою́зе у _____ (ка́ждый челове́к) был а́дрес и регистра́ция, а э́того _____ (дом) на ка́рте не́ было!

Но в до́мике жила́ семья́ из шести́ челове́к. Они́ жи́ли в лесу́ одни́, без _____ (сосе́д) без _____ (электроэне́ргия), без _____ (де́ньги), без _____ (горя́чая вода́), без _____ (холоди́льник), без _____ (ра́дио) и _____ (телеви́зор), без _____ (маши́на) и без _____ (госуда́рство)! У _____ (Карп Лы́ков) была́ жена́, два _____ (сын) и две _____ (до́чка). Все они́ бы́ли старове́ры — э́то вариа́нт _____ (правосла́вная рели́гия), кото́рый был до _____ (рефо́рма) семна́дцатого ве́ка.

У _____ (старове́ры) всегда́ была́ тру́дная жизнь, но осо́бенно стра́шно бы́ло по́сле револю́ции и во вре́мя Ста́лина. Вы́бор был просто́й: ждать репре́ссий и́ли иска́ть но́вое ме́сто для _____ (жизнь). У _____ (гео́логи) бы́ли пода́рки: хлеб и чай, но жи́тели _____ (тайга́) не хоте́ли есть ничего́ но́вого. Карп, глава́ семьи́, сказа́л: «Я хлеб ел, а они́ — никогда́. Да́же не ви́дели». Кро́ме _____ (хлеб), у них не́ было _____ (соль), но была́ карто́шка, капу́ста, свёкла, ры́ба из _____ (река́) и мя́со из _____ (тайга́).

Язы́к Ка́рпа гео́логи понима́ли, а вот язы́к его́ _____ (де́ти) — уже́ нет, потому́ что они́ до́лго жи́ли в изоля́ции. Коне́чно, фило́логи изуча́ли язы́к _____ (семья́) — э́то бы́ло о́чень интере́сно! Кста́ти, у Ка́рпа и его́ жены́ Акули́ны бы́ли немно́го ра́зные диале́кты. Возмо́жно, их роди́тели бы́ли из _____ (ра́зные регио́ны). До́ма в свобо́дное вре́мя Лы́ковы чита́ли Би́блию и расска́зывали сны. Де́ти уме́ли чита́ть и писа́ть. У _____ (они́) был календа́рь, они́ зна́ли, како́й сейча́с год и число́.

Пра́вда, у встре́чи _____ (старове́ры) и _____ (гео́логи) был ужа́сный результа́т: 2 _____ (сын) и до́чка у́мерли. Говоря́т, у _____ (они́) не́ было _____ (иммуните́т), а лека́рства они́ принима́ть не хоте́ли.

Сейча́с, когда́ мы пи́шем э́ту кни́гу, Ага́фья Лы́кова, мла́дшая до́чка Ка́рпа и Акули́ны, живёт одна́ в тайге́. Ро́дственники _____ (Ага́фья) приглаша́ли её сно́ва жить в дере́вне, но она́ не хо́чет. Лю́ди ча́сто не понима́ют её вы́бор — жить без _____ (муж), без _____ (друзья́), без _____ (де́ньги), без _____ (свет) и _____ (магази́н)... А она́ не понима́ет, как они́ живу́т без _____ (Бог) и без _____ (ве́ра).

Текст 5

Компаратив
Nom. / Gen. / Accus. / Dat.

ПРОЧИТАЙТЕ СКАЗКУ И ЗАДАЙТЕ ВОПРОСЫ.

Царь и рубашка

Один царь заболел. Каждый день **ему** было всё хуже и хуже, и он сказал: «Самый дорогой подарок дам тому, кто **мне** поможет!» Долго все самые **лучшие** врачи думали, что делать. **Самый старый** врач сказал: «Надо взять **рубашку** самого счастливого человека и дать **царю**, это ему поможет».

Долго искали самого счастливого **человека** и нигде не могли **его** найти. Один богаче всех, но болеет. Другой здоровее всех, но **бедный**. **У одного** дом лучше всех, но он старый. Другой моложе, но дом **ему** не нравится. Нет **ничего** труднее, чем искать счастливого человека!

Однажды **сыну** царя сказали, что есть **один** человек, который каждый вечер говорит: «**Сегодня** хорошо поработал, поужинал — буду **спать**. Что мне ещё нужно? **Счастливый** я человек!»

Сказал сын **царя**, что надо идти **к этому человеку**, дать ему самый дорогой подарок и взять **его** рубашку для **царя**. Хотели они **так** сделать, но не могли: самый счастливый **человек** был такой бедный, что **у него** не было **рубашки**. Так он не получил **от царя** самый дорогой подарок — да **он** ему и не был нужен...

По Л. Толстому

НАЙДИТЕ В ТЕКСТЕ ВСЕ ПРИЛАГАТЕЛЬНЫЕ И НАПИШИТЕ **2** ФОРМЫ.

плохой — хуже ⸻ — ⸻
дорогой — ⸻ ⸻ — ⸻
⸻ — ⸻ ⸻ — ⸻
⸻ — ⸻ ⸻ — ⸻
⸻ — ⸻

ОТВЕТЬТЕ НА ВОПРОСЫ:

• Вы знаете счастливых людей? Почему они счастливые?
• Что вам нужно для счастья?

Текст 6

Приятного аппетита!

В каждой стране́ есть национа́льная ку́хня и люби́мые проду́кты. Кита́йцы и япо́нцы всё едя́т с _____ (рис), францу́зы — с _____ (вино́) и _____ (со́ус), италья́нцы — с _____ (сыр), а ру́сские — с _____ (хлеб) и _____ (смета́на). Иностра́нцы говоря́т, что ру́сская ку́хня сли́шком жи́рная и э́то пло́хо для фигу́ры.

Пра́вда, что ру́сские лю́бят есть жи́рную еду́: мя́со с _____ (карто́шка), хлеб с _____ (ма́сло), сала́ты с _____ (майоне́з), пироги́. Мно́гие лю́ди ду́мают, что э́то результа́т холо́дного кли́мата. Но нельзя́ сказа́ть, что э́то так пло́хо для фигу́ры. Е́сли вы бы́ли в Росси́и, вы ви́дели, каки́е здесь краси́вые де́вушки.

Са́мые популя́рные ру́сские блю́да: борщ со _____ (смета́на), пельме́ни, пироги́ и блины́.

Пироги́ и блины́ де́лают с _____ (мя́со), _____ (ку́рица), _____ (ры́ба), _____ (грибы́) и да́же _____ (икра́). Де́ти о́чень лю́бят сла́дкие пироги́ с _____ (фру́кты).

Тури́сты лю́бят про́бовать ру́сскую ку́хню. Когда́ они́ едя́т пироги́, они́ обы́чно забыва́ют о фигу́ре, а то́лько говоря́т, как э́то вку́сно. А мы говори́м: «Прия́тного аппети́та!»

Текст 7

Accus. / Gen. / Dat. / Instr. / Prep.

ОТВЕТЬТЕ НА ВОПРОСЫ.

- У вас мно́го друзе́й? Что для вас зна́чит сло́во «друг»?
- У вас есть в Интерне́те друзья́, кото́рых вы никогда́ не ви́дели?
- Заче́м нужны́ друзья́ в Интерне́те?

ПРОЧИТАЙТЕ ТЕКСТ.

Как найти́ друзе́й

У _____ (я) нет _____ (Фейсбу́к), нет _____ (Инстагра́м) и да́же нет _____ (Интерне́т). Поэ́тому _____ (я) реши́л иска́ть _____ (друзья́) на у́лице, как сейча́с все де́лают э́то в Интерне́те.

Ка́ждый день _____ (я) гуля́ю в це́нтре _____ (го́род) и расска́зываю _____ (лю́ди), что _____ (я) де́лал вчера́ ве́чером, что у _____ (я) бы́ло на у́жин и кто был со _____ (я) в кафе́, о _____ (что) я ду́маю и _____ (что) я занима́юсь в свобо́дное вре́мя.

Я пока́зываю _____ (лю́ди) фотогра́фии мои́х друзе́й, моего́ до́ма, мое́й соба́ки. _____ (Я) даю́ _____ (они́) фотогра́фии, где _____ (я) 2 го́да, где _____ (я) отдыха́ю на пля́же и́ли про́сто где у _____ (я) смешно́е лицо́.

_____ (Я) слу́шаю, о _____ (что) говоря́т лю́ди на у́лице, и гро́мко комменти́рую: « _____ (Я) нра́вится!»

У _____ (я) уже́ есть 5 _____ (друзья́): 2 из поли́ции, 1 психиа́тр, 1 психо́лог и 1 медбра́т.

Текст 8

Все падежи

Прочитайте текст.

Биогра́фия

Андре́й роди́лся 5 ма́рта 1975 го́да в _____ (Арха́нгельск). Э́то се́верный морско́й го́род. Его́ па́па рабо́тал в _____ (порт), а ма́ма — в _____ (шко́ла). Андре́й пошёл в де́тский сад в 2 _____ (год). Там он игра́л, гуля́л, спал, ел и немно́го учи́лся чита́ть и писа́ть. В 7 _____ (год), как все де́ти в _____ (Росси́я), Андре́й пошёл в _____ (шко́ла). Андре́й не люби́л _____ (шко́ла), но о́чень люби́л _____ (друзья́). В _____ (шко́ла) бы́ло ску́чно учи́ться, но ве́село бе́гать и игра́ть с _____ (друзья́).

В 5 _____ (год) Андре́й на́чал игра́ть в _____ (хокке́й). Он о́чень люби́л _____ (спорт) и мечта́л стать _____ (профессиона́льный хоккеи́ст). Но жизнь есть жизнь! В _____ 12 (год) у _____ (он) была́ тра́вма, поэ́тому Андре́й бро́сил _____ (хокке́й) и на́чал занима́ться _____ (му́зыка). Па́па купи́л ему́ _____ (гита́ра), и Андре́й пошёл в _____ (музыка́льная шко́ла). Он игра́л на _____ (гита́ра), писа́л _____ (му́зыка) и _____ (стихи́).

Андре́й око́нчил _____ (шко́ла) в 18 _____ (год) и пошёл служи́ть в _____ (а́рмия). Он служи́л на се́вере 1 _____ (год). В а́рмии бы́ло тру́дно, но он встре́тил мно́го _____ (хоро́шие друзья́). Ребя́та люби́ли _____ (Андре́й), потому́ что у него́ был _____ (золото́й хара́ктер). А ещё он хорошо́ игра́л на _____ (гита́ра) и мно́го шути́л.

По́сле _____ (а́рмия) Андре́й поступи́л в _____ (университе́т) на _____ (экономи́ческий факульте́т), но он не о́чень хоте́л учи́ться. Андре́й люби́л _____ (настоя́щая жизнь)! В свобо́дное вре́мя он игра́л на _____ (гита́ра) в _____ (рок-гру́ппа), писа́л _____ (но́вые пе́сни). Одна́жды на _____ (конце́рт) он встре́тил _____ (краси́вая де́вушка Ма́ша). Э́то была́ любо́вь с пе́рвого взгля́да. Ма́ша была́ _____ (студе́нтка), изуча́ла _____ (диза́йн). Она́ то́же полюби́ла _____ (Андре́й).

Ма́ша и Андре́й встреча́лись 2 _____ (год) и реши́ли пожени́ться. Они́ мечта́ли жить вме́сте, но у _____ (они́) абсолю́тно не́ было _____ (де́ньги). Тогда́ Андре́й бро́сил _____ (университе́т) и пошёл рабо́тать. Он арендова́л _____ (ма́ленькая кварти́ра), и Ма́ша перее́хала к _____ (он).

Как вы думаете, что было дальше? Напишите конец этой истории.

Текст 9

Все падежи

Ответьте на вопросы.

• Вы лю́бите фастфу́д? В каки́е кафе́ и рестора́ны вы хо́дите, а в каки́е — не хо́дите?

• В ва́шем го́роде есть ру́сский рестора́н?

• Вы хоти́те ви́деть в ва́шем го́роде ру́сский рестора́н?

• Посмотри́те сайт компа́нии «Теремо́к». Вам нра́вится меню́? Что вы ду́маете о рестора́не?

• Како́е кафе́ вы мо́жете откры́ть?

• Вы лю́бите чита́ть исто́рии успе́ха?

• Геро́й на́шей исто́рии потеря́л 300 ты́сяч до́лларов. А вы теря́ли больши́е де́ньги?

• Как вы ду́маете, что ну́жно для успе́ха в би́знесе?

Прочита́йте текст.

«Теремо́к»

Когда́ иностра́нцы приезжа́ют в _____ (Москва́) и́ли в _____ (Петербу́рг), они́ всегда́ хотя́т попро́бовать _____ (ру́сская ку́хня). Но на _____ (у́лицы) не так мно́го _____ (рестора́ны) и кафе́ _____ (ру́сская ку́хня). Иногда́ ка́жется, что ле́гче найти́ америка́нский фастфу́д, япо́нские су́ши и́ли италья́нский рестора́н. К сча́стью, есть популя́рные рестора́ны дома́шней ку́хни «Теремо́к», кото́рые хорошо́ зна́ют ру́сские и лю́бят тури́сты.

Пе́рвый «Теремо́к» откры́лся в _____ (Москва́) в 1999 году́, э́то был про́сто кио́ск у _____ (ста́нция метро́). Откры́л _____ (он) бизнесме́н Михаи́л Гончаро́в. Ра́ньше он продава́л _____ (электро́ника), но, когда́ пришёл кри́зис, его́ би́знес закры́лся. Он потеря́л 300 _____ (ты́сяча) _____ (до́ллары), но у _____ (он) бы́ло ещё 90 _____ (ты́сяча). Михаи́л до́лго иска́л _____ (но́вая иде́я) и наконе́ц нашёл _____ (она́). И зна́ете где? В _____ (Пари́ж)!

Когда́ Михаи́л был во _____ (Фра́нция), он попро́бовал францу́зские блины́ и по́нял, что в Росси́и нет _____ (популя́рные) кафе́ с _____ (блины́). Тогда́ он на́чал заходи́ть во все кафе́, где гото́вили блины́, и спра́шивать реце́пты. Пото́м он прие́хал в _____ (Росси́я) и вме́сте с _____

(мáма) дóма нáчал эксперименти́ровать! Они́ прóбовали рáзные вариáнты
_____ (блины́) и выбирáли сáмые вку́сные.

Пéрвые блины́ бы́ли с _____ (сыр) и _____ (ветчинá), а потóм
с _____ (грибы́). Сейчáс в меню́ «Теремкá» мнóго _____
_____ (рáзные блины́), _____ (супы́) и _____ (салáты). Есть
дáже спорти́вные обéды и десéрты.

Сегóдня э́то популя́рные и недороги́е кафé, кудá прихóдят студéнты, тури́сты
и срéдний класс. Вáжное прáвило: блины́ готóвят для _____
(кáждый клиéнт) тóлько пóсле закáза. Как говори́т Гончарóв, «человéк дóлжен
понимáть, что он ест».

Сегóдня в Росси́и 300 «Теремкóв», и ещё два рабóтают в _____
_____ (Нью-Йóрк). Плáны _____ (компáния) — прийти́ с _____
(блины́) в нóвые стрáны и регионы. Навéрное, успéх прихóдит, éсли лю́бишь
_____ (свой) дéло и дéлаешь _____ (онó) хорошó!

Текст 10

НСВ / СВ

Стакан молока

Жил ма́ленький ма́льчик. Он был о́чень бе́дный и ча́сто голода́л. Одна́жды он до́лго _____ (гуля́ть — погуля́ть) и о́чень захоте́л есть и пить. Он _____ (реша́ть — реши́ть) постуча́ть в незнако́мый дом и _____ (проси́ть — попроси́ть) немно́го хле́ба и воды́. Он постуча́л, и дверь _____ (открыва́ть — откры́ть) краси́вая молода́я же́нщина, ма́льчик _____ (смотре́ть — посмотре́ть) на неё и _____ (понима́ть — поня́ть), что она́ то́же бе́дная, и поэ́тому _____ (проси́ть — попроси́ть) то́лько стака́н воды́.

Же́нщина _____ (ду́мать — поду́мать), что ма́льчик голо́дный, и _____ (дава́ть — дать) ему́ большо́й стака́н молока́.

Ма́льчик _____ (пить — вы́пить) молоко́, а пото́м _____ (спра́шивать — спроси́ть): «Ско́лько я вам до́лжен?» Же́нщина _____ (отвеча́ть — отве́тить), что ма́ма учи́ла её не _____ (брать — взять) де́ньги за до́брые дела́.

Прошло́ мно́го лет. Одна́жды она́ си́льно _____ (боле́ть — заболе́ть). Ме́стные врачи́ не зна́ли, как ей _____ (помога́ть — помо́чь). Тогда́ она́ пое́хала в большо́й го́род и пошла́ в больни́цу. Когда́ врач _____ (ви́деть — уви́деть) её, он сра́зу _____ (узнава́ть — узна́ть) же́нщину, кото́рая _____ (помога́ть — помо́чь) ему́ мно́го лет наза́д. Он _____ (де́лать — сде́лать) сло́жную опера́цию и спас её жизнь. По́сле опера́ции он _____ (брать — взять) счёт и _____ (писа́ть — написа́ть) не́сколько слов.

Же́нщина была́ ра́да, но о́чень боя́лась, что ей на́до бу́дет _____ (продава́ть — прода́ть) свой дом, что́бы _____ (плати́ть — заплати́ть) за дорогу́ю опера́цию. Когда́ она́ _____ (брать — взять) счёт, она́ _____ (чита́ть — прочита́ть): «Вы уже́ _____ (плати́ть — заплати́ть) за опера́цию. По́мните стака́н молока́?»

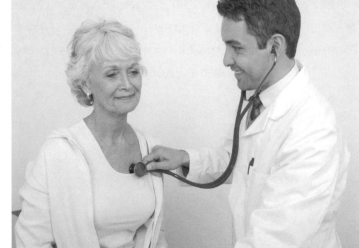

Текст 11

Биография

Андрей _____ (роди́ться) 5 ма́рта 1975 го́да в Арха́нгельске. Это се́верный морско́й го́род. Его́ па́па _____ (рабо́тать — порабо́тать) в порту́, а ма́ма — в шко́ле. Андрей _____ (пойти́) в де́тский сад в 2 го́да. Там он игра́л, гуля́л, спал, ел и немно́го учи́лся чита́ть и писа́ть. В 7 лет, как все де́ти в Росси́и, Андрей _____ (пойти́) в шко́лу. Андрей не люби́л шко́лу, но о́чень люби́л друзе́й. В шко́ле бы́ло ску́чно учи́ться, но ве́село бе́гать и игра́ть с друзья́ми.

В 5 лет Андрей _____ (начина́ть — нача́ть) игра́ть в хокке́й. Он о́чень люби́л спорт и мечта́л _____ (станови́ться — стать) профессиона́льным хоккеи́стом. Но жизнь есть жизнь! В 12 лет у него́ была́ тра́вма, поэ́тому Андрей _____ (броса́ть — бро́сить) хокке́й и _____ (начина́ть — нача́ть) занима́ться му́зыкой. Па́па _____ (покупа́ть — купи́ть) ему́ гита́ру, и Андрей _____ (пойти́) в музыка́льную шко́лу. Он игра́л на гита́ре, писа́л му́зыку и стихи́.

Андрей _____ (ока́нчивать — око́нчить) шко́лу в 18 лет и _____ (пойти́) служи́ть в а́рмию. Он служи́л на Се́вере 1 год. В а́рмии бы́ло тру́дно, но он _____ (встреча́ть — встре́тить) мно́го хоро́ших друзе́й. Ребя́та люби́ли Андре́я, потому́ что у него́ был золото́й хара́ктер. А ещё он хорошо́ _____ (игра́ть — поигра́ть) на гита́ре и мно́го шути́л.

По́сле а́рмии Андрей _____ (поступа́ть — поступи́ть) в университе́т на экономи́ческий факульте́т, но он не о́чень хоте́л учи́ться. Андрей люби́л настоя́щую жизнь! В свобо́дное вре́мя он _____ (игра́ть — поигра́ть) на гита́ре в рок-гру́ппе, _____ (писа́ть — написа́ть) но́вые пе́сни. Одна́жды на конце́рте он _____ (встреча́ть — встре́тить) краси́вую де́вушку Ма́шу. Это была́ любо́вь с пе́рвого взгля́да. Ма́ша была́ студе́нткой, изуча́ла диза́йн. Она́ о́чень люби́ла Андре́я и мечта́ла вы́йти за него́ за́муж.

Ма́ша и Андрей _____ (встреча́ться — встре́титься) 2 го́да и _____ (реша́ть — реши́ть) пожени́ться. Они́ мечта́ли жить вме́сте, но у них абсолю́тно не́ было де́нег. Тогда́ Андрей _____ (броса́ть — бро́сить) университе́т и _____ (пойти́) рабо́тать. Он арендова́л ма́ленькую кварти́ру, и Ма́ша _____ (перее́хать) к нему́.

Как вы думаете, что было дальше?

Текст 12

НСВ / СВ

Па́вел Ду́ров

Отве́тьте на вопро́сы.

- У вас есть страни́ца в «Фейсбу́ке»?
- Каки́е са́йты на ру́сском языке́ вы зна́ете?
- Как мо́жно зарабо́тать больши́е де́ньги сра́зу по́сле университе́та?
- Вы слу́шаете пира́тскую му́зыку? Смо́трите пира́тские фи́льмы?
- Вы зна́ете «Википе́дию»? Как вы счита́ете, э́то хоро́ший прое́кт?
- Как вы ду́маете, на что миллионе́р мо́жет дать миллио́н до́лларов?
- Как вы ду́маете, что зна́чит сло́во «вегетариа́нец»? А «libertariа́нец»?
- Мо́жет быть, вы то́же вегетариа́нец или libertариа́нец?
- Каки́х бога́тых люде́й вы зна́ете? Как они́ зарабо́тали де́ньги?
- Как вы ду́маете, како́й ещё интере́сный сайт мо́жно сде́лать в Интерне́те?

Прочита́йте текст и поду́майте, как мо́жно назва́ть его ча́сти.
Найди́те в те́ксте все НСВ и СВ.

Мо́жет быть, вы не зна́ете Па́вла Ду́рова, но в Росси́и все зна́ют его́ и все зна́ют, как мно́го он _____ (де́лал — сде́лал). Вы то́же узна́ете, когда́ прочита́ете э́тот текст.

Па́вел Ду́ров _____ (рожда́лся — роди́лся) в Ленингра́де 10 октября́ 1984 го́да. Его́ па́па, профе́ссор класси́ческой филоло́гии, не́сколько лет рабо́тал в Ита́лии, в Тури́не, и там Па́вел на́чал учи́ться в шко́ле. Пото́м он учи́лся в Академи́ческой гимна́зии в Санкт-Петербу́рге, где изуча́л 4 иностра́нных языка́. Уже́ в 11 лет Па́вел на́чал _____ (писа́ть — написа́ть) компью́терные програ́ммы.

По́сле шко́лы Па́вел _____ (поступа́л — поступи́л) в университе́т на филологи́ческий факульте́т, где на́чал _____ (изуча́ть — изучи́ть)

118

английскую филоло́гию и перево́д. Он отли́чно учи́лся и мно́го раз _____ (получа́л — получи́л) стипе́ндии: Президе́нта РФ, Прави́тельства РФ, стипе́ндию миллиарде́ра Пота́нина. Ещё в университе́те он _____ (де́лал — сде́лал) не́сколько са́йтов, са́мые изве́стные из кото́рых — электро́нная библиоте́ка рефера́тов и фо́рум Санкт-Петербу́ргского университе́та.

———————

Тут на́до _____ (говори́ть — сказа́ть), что у Па́вла есть брат Никола́й, тала́нтливый матема́тик. Он да́же _____ (выи́грывал — вы́играл) 2 междунаро́дные олимпиа́ды программи́стов. Вме́сте они́ в 2006 году́ _____ (регистри́ровали — зарегистри́ровали) компа́нию и _____ (открыва́ли — откры́ли) но́вую социа́льную сеть — «ВКонта́кте».

Сего́дня э́то са́мая популя́рная социа́льная сеть в Росси́и. Лю́бят «ВК» и в други́х стра́нах, где говоря́т по-ру́сски: в Белару́си, Молдо́ве, Казахста́не. 97 000 000 челове́к в ме́сяц открыва́ют сайт «ВК»!

В 2010 году́ компа́ния арендова́ла о́фис на Не́вском проспе́кте, в знамени́том «До́ме кни́ги», на после́днем этаже́. Когда́ молоды́е лю́ди зараба́тывают огро́мные де́ньги, они́ иногда́ _____ (де́лают — сде́лают) стра́нные ве́щи: наприме́р, оди́н раз в день рожде́ния Петербу́рга Па́вел Ду́ров броса́л в окно́ о́фиса де́ньги — как он говори́л пото́м, «для пра́здничной атмосфе́ры». Но обы́чно Па́вел Ду́ров _____ (тра́тил — потра́тил) де́ньги на други́е ве́щи: наприме́р, он снима́л кварти́ру недалеко́ от о́фиса, где могли́ ночева́ть рабо́тники компа́нии. Он регуля́рно _____ (дава́ть — дать) де́ньги на старта́пы, а оди́н раз _____ (дава́ть — дать) миллио́н на разви́тие «Википе́дии», спонси́ровал кома́нду Санкт-Петербу́рга на олимпиа́дах программи́стов. Пра́вда, мно́гие на За́паде не люби́ли «ВКонта́кте» за то, что там мно́го пира́тской му́зыки и фи́льмов.

———————

В 2014 году́, по́сле се́рии конфли́ктов, Па́вел _____ (продава́л — про́дал) свои́ а́кции компа́нии, _____ (покупа́л — купи́л) па́спорт кари́бского о́строва и эмигри́ровал из Росси́и. Сейча́с он _____ (де́лал — сде́лал) но́вую популя́рную програ́мму «Телегра́м», в кото́рой лю́ди мо́гут _____ (писа́ть — написа́ть) конфиденциа́льные сообще́ния. И сно́ва техни́ческий дире́ктор прое́кта — его́ брат Никола́й. Па́вел Ду́ров сего́дня ещё молодо́й и акти́вный бизнесме́н, он вегетариа́нец и либертариа́нец, он не хо́чет про́сто _____ (жить — пожи́ть) и _____ (тра́тить — потра́тить) де́ньги и мо́жет сде́лать ещё мно́го интере́сных прое́ктов.

119

Напишите биографию интересного человека.
Можно автобиографию: вы тоже интересный человек!

Соберите слова в группы:

-РОД-	-УЧ-	-РАБ-	-ПИС-
родиться	учитель	работа	писать

писа́тель, роди́ться, аýдио-/ви́деозапись, безрабо́тица, учёный, зараба́тывать, письмо́, рабо́та, учи́тель, роди́тели, по́дпись, учи́ться, ро́дина, учéбник, рабо́тать, подписа́ть, безрабо́тный, писа́ть, родно́й, рабо́тник, изуча́ть, ро́дственник

Текст 13

Читаем текст и пишем НСВ/СВ.

Са́ша рабо́тал в ба́нке. Рабо́та была́ ску́чная, но зарпла́та хоро́шая. Ка́ждый день он _____ (отвеча́ть — отве́тить) на пи́сьма клие́нтов, _____ (звони́ть — позвони́ть), _____ (чита́ть — прочита́ть) докуме́нты. Ве́чером он обы́чно _____ (смотре́ть — посмотре́ть) мужски́е сериа́лы, а иногда́ — футбо́л. В выходны́е ходи́л в магази́ны и _____ (покупа́ть — купи́ть) проду́кты, оде́жду и да́же кни́ги. В о́бщем, у Са́ши была́ норма́льная жизнь, но не́ было сча́стья. Сча́стья у него́ не́ было, потому́ что он был оди́н. Когда́ челове́к оди́н, он ча́сто несча́стный. Пра́вда, когда́ он не оди́н — то́же...

Са́ша иногда́ _____ (встреча́ть — встре́тить) в клу́бе интере́сных де́вушек, да́же _____ (приглаша́ть — пригласи́ть) в рестора́н. Они́ _____ (у́жинать — поу́жинать) вме́сте, но пото́м все де́вушки _____ (теря́ть — потеря́ть) интере́с к нему́. Са́ша ду́мал, что де́вушки не _____ (люби́ть — полюби́ть) его́, потому́ что у него́ была́ стра́нная фами́лия. Не ужа́сная, а про́сто, мо́жно сказа́ть, некраси́вая: Ку́рицын. Ни одна́ де́вушка не хоте́ла пото́м всю жизнь говори́ть: «Мой муж — Ку́рицын».

Са́ша хоте́л да́же _____ (меня́ть — поменя́ть) фами́лию, но э́то бы́ло не так про́сто. Пото́м Са́ша поду́мал, что на́до иска́ть де́вушку-иностра́нку, потому́ что для неё его́ фами́лия звучи́т норма́льно. То́лько он не знал, где э́ту иностра́нку иска́ть, и не о́чень хорошо́ говори́л по-англи́йски. Как все по́сле шко́лы, он уме́л _____ (чита́ть — прочита́ть) и знал популя́рные фра́зы из фи́льмов, но не говори́л.

Одна́жды у́тром на рабо́те Са́ша _____ (включа́ть — включи́ть) компью́тер, _____ (пить — вы́пить) ко́фе и _____ (получа́ть — получи́ть) письмо́... Он поду́мал, что Бог наконе́ц услы́шал его́. Са́ша _____ (чита́ть — прочита́ть) письмо́ и не слы́шал, как нача́льник крича́л: «Вы уже́ всё _____ (де́лать — сде́лать)? Вы _____ (звони́ть — позвони́ть) в Центроба́нк? Вы _____ (писа́ть — написа́ть) контра́кт? Вы _____ (чита́ть — прочита́ть) по́чту? Вы _____ (отвеча́ть — отве́тить) на все пи́сьма?» В письме́ была́ фотогра́фия краси́вой экзоти́ческой де́вушки. Де́вушку Са́ша ви́дел в пе́рвый раз, но она́ смотре́ла на него́ как на ста́рого дру́га.

Са́ша прочита́л письмо́, вы́пил ещё ко́фе и на́чал _____ (чита́ть — прочита́ть) ещё раз:

Тексты для чтения

«До́брый день! Вы меня́ ещё не зна́ете, но я уже́ немно́го зна́ю о вас. Я до́чка мини́стра не́фти и га́за Наро́дной Респу́блики. В университе́те я _____ (изуча́ть — изучи́ть) ру́сский язы́к и эконо́мику, я уме́ю _____ (писа́ть — написа́ть) по-ру́сски. Вы, наве́рное, не понима́ете, почему́ я _____ (реша́ть — реши́ть) написа́ть э́то письмо́? Э́то не о́чень про́сто, но я ве́рю, что вы мо́жете меня́ поня́ть. По́сле револю́ции на́ша семья́ _____ (теря́ть — потеря́ть) всё. Как ми́нимум, я так ду́мала. Но по́сле сме́рти отца́ я _____ (открыва́ть — откры́ть) секре́тный сейф и _____ (чита́ть — прочита́ть) его́ письмо́. Он написа́л, что у меня́ есть капита́л! Оте́ц _____ (пря́тать — спря́тать) де́ньги в ба́нке в Москве́, потому́ что он о́чень люби́л ва́шу страну́ и ваш го́род. Ра́ньше он учи́лся в университе́те в Москве́, у него́ там бы́ли друзья́. Он ду́мал, что в Москве́ я смогу́ _____ (получа́ть —получи́ть) э́ти де́ньги, _____ (встреча́ть — встре́тить) хоро́шего челове́ка и _____ (начина́ть — нача́ть) но́вую жизнь. Я не была́ в Росси́и и бою́сь всё _____ (де́лать — сде́лать) одна́, поэ́тому я ищу́ дру́га в Москве́. Я уви́дела ва́шу фотогра́фию в Интерне́те, прочита́ла, что вы рабо́таете в ба́нке, и поду́мала: "Вот он"! У вас интеллиге́нтное лицо́, хоро́ший костю́м и нет де́вушки: зна́чит, вы о́чень скро́мный и́ли о́чень мно́го рабо́таете. Для меня́ э́то о́чень ва́жный шанс, а для вас — как ми́нимум небольшо́й би́знес, а мо́жет быть, намно́го бо́льше — кто зна́ет? Но снача́ла я хочу́ _____ (получа́ть — получи́ть) от вас де́ньги на биле́т...»

Как вы ду́маете, что бы́ло да́льше? Напиши́те ваш вариа́нт.

_____

_____

_____

_____

_____

_____

_____

_____

_____

_____

_____

Текст 1

Из истории русской кухни

Что вы зна́ете о ру́сской ку́хне? Коне́чно, все зна́ют ру́сские блины́, икру́, во́дку, борщ... Блины́ — ста́рое ритуа́льное блю́до, кото́рое едя́т во вре́мя пра́здника Ма́сленицы, когда́ ждут весну́. Ча́сто говоря́т, что они́ си́мвол со́лнца.

Икра́ — традицио́нный ру́сский проду́кт. В Росси́и лю́бят не то́лько чёрную икру́, кото́рую хорошо́ зна́ют в ми́ре, но и кра́сную, и други́е бо́лее дешёвые сорта́. Ры́ба то́же ра́ньше игра́ла большу́ю роль в ру́сской ку́хне, потому́ что в Росси́и мно́го море́й и рек и всегда́ бы́ло мно́го ры́бы, а рели́гия не разреша́ла есть мя́со ка́ждый день.

Борщ — люби́мое блю́до почти́ в ка́ждой ру́сской семье́. Ещё ру́сские лю́бят шашлыки́ — блю́до из мя́са, кото́рое ча́сто гото́вят на да́че и́ли на приро́де.

Во́дки в Росси́и не́ было до пятна́дцатого ве́ка, пи́ли пи́во, мёд и́ли квас — популя́рный напи́ток, кото́рый де́лают из хле́ба.

У ру́сских всегда́ был настоя́щий культ хле́ба. На се́вере Росси́и обы́чно е́ли чёрный хлеб, а на ю́ге — бе́лый. Хлеб и соль всегда́ бы́ли на столе́ для госте́й. В нача́ле восемна́дцатого ве́ка, когда́ стро́или Санкт-Петербу́рг, стро́ители получа́ли хлеб беспла́тно.

Ра́ньше лю́ди е́ли не так, как сего́дня: в обы́чные дни е́ли немно́го. Наприме́р, царь Алексе́й Миха́йлович, оте́ц Петра́ Пе́рвого, ра́но у́тром ел на за́втрак хлеб и пил молоко́ или квас, а на обе́д сно́ва ел хлеб и пил немно́го пи́ва. А в пра́здники да́же у небога́тых люде́й на столе́ бы́ло 15—20 блюд из ры́бы, мя́са, овоще́й и грибо́в. А у ру́сского царя́ могли́ обе́дать 1000 госте́й и на столе́ бы́ло 500 блюд!

Сейча́с в Росси́и мно́го рестора́нов италья́нской, япо́нской и кита́йской ку́хни, но в ка́ждой ру́сской семье́ есть люби́мые блю́да ру́сской ку́хни.

Текст 2

Свобо́да, ра́венство, бра́тство

Ра́ньше жизнь была́ про́ще: был бога́тый царь и́ли импера́тор, у него́ бы́ло всё, а у люде́й — почти́ ничего́. Ну, мо́жет быть, друзья́ царя́ жи́ли непло́хо. Но то́лько пока́ они́ друзья́. Коне́ц **дру́жбы** — коне́ц жи́зни. И коне́чно, всегда́ бы́ли лю́ди, кото́рые ду́мали, как сде́лать жизнь лу́чше. Не про́сто ду́мали: писа́ли кни́ги, де́лали револю́ции, стро́или маши́ны для **техни́ческого прогре́сса**.

Сего́дня мы мо́жем реа́льно ви́деть, что да́же бе́дные лю́ди в бога́тых стра́нах живу́т лу́чше, чем ра́ньше. У них есть тёплые дома́, еда́, оде́жда, они́ ре́же **умира́ют от боле́зней** и ре́же хо́дят на войну́. Мир стал намно́го лу́чше и **справедли́вее**.

Но да́же сего́дня лю́ди ду́мают: почему́ други́е живу́т лу́чше, чем я? Почему́ у них лу́чше дом, доро́же маши́на, они́ бо́льше путеше́ствуют? На э́тот вопро́с отвеча́ют ра́зные полити́ческие систе́мы. Капитали́зм говори́т: потому́ что бога́тые лю́ди лу́чше учи́лись, бо́льше рабо́тали, бо́льше рискова́ли, стро́или би́знес, они́ бо́лее **акти́вные**, и у них есть пра́во быть бога́че. Они́ бо́льше де́лают и бо́льше получа́ют. Ра́ньше э́та иде́я была́ популя́рнее, чем сейча́с, она́ **стимули́ровала** эконо́мику, и мно́гие стра́ны ста́ли бога́че.

Социали́зм говори́т, что бога́тые беру́т де́ньги бе́дных и э́то де́лает их бога́че. Е́сли твой сосе́д бога́че, чем ты, э́то нече́стно. Он не мо́жет быть лу́чше тебя́, потому́ что лю́ди **равны́**. Э́то о́чень популя́рная иде́я сего́дня, **осо́бенно** в Евро́пе. Но есть интере́сный **парадо́кс**: в стра́нах капитали́зма одни́ бога́че, други́е бедне́е, и бе́дные ча́сто **недово́льны**. Но обы́чно да́же э́ти бе́дные лю́ди живу́т бога́че, чем в стра́нах социали́зма. А вот в стра́нах, где **настоя́щий** социали́зм, нет бога́тых и бе́дных, но **недово́льны** почти́ все.

Социалисти́ческие стра́ны говори́ли, что рабо́чие в них живу́т лу́чше, чем на За́паде. Но тогда́ почему́ лю́ди бежа́ли из Восто́чной Герма́нии в За́падную, с Ку́бы в США и́ли из Се́верной Коре́и в Ю́жную?

Текст 9

«Теремо́к»

Когда́ иностра́нцы приезжа́ют в Москву́ или в Петербу́рг, они́ всегда́ хотя́т попро́бовать ру́сскую ку́хню. Но на у́лицах не так мно́го рестора́нов и кафе́ ру́сской ку́хни. Иногда́ ка́жется, что ле́гче найти́ америка́нский фастфу́д, япо́нские су́ши и́ли италья́нский рестора́н. К сча́стью, есть популя́рные рестора́ны дома́шней ку́хни «Теремо́к», кото́рые хорошо́ зна́ют ру́сские и лю́бят тури́сты.

Пе́рвый «Теремо́к» откры́лся в Москве́ в 1999 году́, э́то был про́сто кио́ск у ста́нции метро́. Откры́л его́ бизнесме́н Михаи́л Гонча́ров. Ра́ньше он продава́л электро́нику, но когда́ пришёл кри́зис, его́ би́знес закры́лся. Он потеря́л 300 ты́сяч до́лларов, но у него́ бы́ло ещё 90 ты́сяч. Михаи́л до́лго иска́л но́вую иде́ю и наконе́ц нашёл её. И зна́ете где? В Пари́же!

Когда́ Михаи́л был во Фра́нции, он попро́бовал францу́зские блины́ и по́нял, что в Росси́и нет популя́рных кафе́ с блина́ми. Тогда́ он на́чал заходи́ть во все кафе́, где гото́вили блины́, и спра́шивать реце́пты. Пото́м он прие́хал в Росси́ю и вме́сте с ма́мой до́ма на́чал эксперименти́ровать! Они́ про́бовали ра́зные вариа́нты блино́в и выбира́ли са́мые вку́сные.

Пе́рвые блины́ бы́ли с сы́ром и ветчино́й, а пото́м с гриба́ми. Сейча́с в меню́ «Теремка́» мно́го ра́зных блино́в, су́пов и сала́тов. Есть да́же спорти́вные обе́ды и десе́рты.

Сего́дня э́то популя́рные и недороги́е кафе́, куда́ прихо́дят студе́нты, тури́сты и сре́дний класс. Ва́жное пра́вило: блины́ гото́вят для ка́ждого клие́нта то́лько по́сле зака́за. Как говори́т Гонча́ров, «челове́к до́лжен понима́ть, что он ест».

Сего́дня в Росси́и 300 «Теремко́в», и ещё два рабо́тают в Нью-Йо́рке. Пла́ны компа́нии — прийти́ с блина́ми в но́вые стра́ны и регио́ны. Наве́рное, успе́х прихо́дит, е́сли лю́бишь своё де́ло и де́лаешь его́ хорошо́!

Текст 10

Стакан молока

Жил ма́ленький ма́льчик. Он был о́чень бе́дный и ча́сто голода́л. Одна́жды он до́лго гуля́л и о́чень захоте́л есть и пить. Он реши́л постуча́ть в незнако́мый дом и попроси́ть немно́го хле́ба и воды́. Он постуча́л, и дверь откры́ла краси́вая молода́я же́нщина, ма́льчик посмотре́л на неё и по́нял, что она́ то́же бе́дная, и поэ́тому попроси́л то́лько стака́н воды́.

Же́нщина поду́мала, что ма́льчик голо́дный, и дала́ ему́ большо́й стака́н молока́.

Ма́льчик вы́пил молоко́, а пото́м спроси́л: «Ско́лько я вам до́лжен?» Же́нщина отве́тила, что ма́ма учи́ла её не брать де́ньги за до́брые дела́.

Прошло́ мно́го лет. Одна́жды она́ си́льно заболе́ла. Ме́стные врачи́ не зна́ли, как ей помо́чь. Тогда́ она́ пое́хала в большо́й го́род и пошла́ в больни́цу. Когда́ врач уви́дел её, он сра́зу узна́л же́нщину, кото́рая помогла́ ему́ мно́го лет наза́д. Он сде́лал сло́жную опера́цию и спас её жизнь. По́сле опера́ции он взял счёт и написа́л не́сколько слов.

Же́нщина была́ ра́да, но о́чень боя́лась, что ей на́до бу́дет прода́ть свой дом, что́бы заплати́ть за дорогу́ю опера́цию. Когда́ она́ взяла́ счёт, она́ прочита́ла: «Вы уже́ заплати́ли за опера́цию. По́мните стака́н молока́?»

Текст 12

Па́вел Ду́ров

Мо́жет быть, вы не зна́ете Па́вла Ду́рова, но в Росси́и все зна́ют его́ и все зна́ют, как мно́го он сде́лал. Вы то́же узна́ете, когда́ прочита́ете э́тот текст.

Па́вел Ду́ров роди́лся в Ленингра́де 10 октября́ 1984 го́да. Его́ па́па, профе́ссор класси́ческой филоло́гии, не́сколько лет рабо́тал в Ита́лии, в Турине́, и там Па́вел на́чал учи́ться в шко́ле. Пото́м он учи́лся в Академи́ческой гимна́зии в Санкт-Петербу́рге, где изуча́л 4 иностра́нных языка́. Уже́ в 11 лет Па́вел на́чал писа́ть компью́терные програ́ммы.

По́сле шко́лы Па́вел поступи́л в университе́т на филологи́ческий факульте́т, где на́чал изуча́ть англи́йскую филоло́гию и перево́д. Он отли́чно учи́лся и мно́го раз получа́л стипе́ндии: Президе́нта РФ, Прави́тельства РФ, стипе́ндию миллиарде́ра Пота́нина. Ещё в университе́те он сде́лал не́сколько са́йтов, са́мые изве́стные из кото́рых — электро́нная библиоте́ка рефера́тов и фо́рум Санкт-Петербу́ргского университе́та.

Тут на́до сказа́ть, что у Па́вла есть брат Никола́й, тала́нтливый матема́тик. Он да́же вы́играл 2 междунаро́дные олимпиа́ды программи́стов. Вме́сте они́ в 2006 году́ зарегистри́ровали компа́нию и откры́ли но́вую социа́льную сеть — «ВКонта́кте».

Сего́дня э́то са́мая популя́рная социа́льная сеть в Росси́и. Лю́бят «ВК» и в други́х стра́нах, где говоря́т по-ру́сски: в Белару́си, Молдо́ве, Казахста́не. 97 000 000 челове́к в ме́сяц открыва́ют сайт «ВК»!

В 2010 году́ компа́ния арендова́ла о́фис на Не́вском проспе́кте, в знамени́том «До́ме кни́ги», на после́днем этаже́. Когда́ молоды́е лю́ди зараба́тывают огро́мные де́ньги, они́ иногда́ де́лают стра́нные ве́щи: наприме́р, оди́н раз в день рожде́ния Петербу́рга Па́вел Ду́ров броса́л в окно́ о́фиса де́ньги — как он говори́л пото́м, «для пра́здничной атмосфе́ры». Но обы́чно Па́вел Ду́ров тра́тил де́ньги на други́е ве́щи: наприме́р, он снима́л кварти́ру недалеко́ от о́фиса, где могли́ ночева́ть рабо́тники компа́нии. Он регуля́рно дава́л де́ньги на старта́пы, а оди́н раз дал миллио́н на разви́тие «Википе́дии», спонси́ровал кома́нду Санкт-Петербу́рга на олимпиа́дах программи́стов. Пра́вда, мно́гие на За́паде не люби́ли «ВКонта́кте» за то, что там мно́го пира́тской му́зыки и фи́льмов.

В 2014 году́, по́сле се́рии конфли́ктов, Па́вел про́дал свои́ а́кции компа́нии, купи́л па́спорт кари́бского о́строва и эмигри́ровал из Росси́и. Сейча́с он сде́лал но́вую популя́рную програ́мму «Телегра́м», в кото́рой лю́ди мо́гут писа́ть конфиденциа́льные сообще́ния. И сно́ва техни́ческий дире́ктор прое́кта — его́ брат Никола́й. Па́вел Ду́ров сего́дня ещё молодо́й и акти́вный бизнесме́н, он вегетариа́нец и либертариа́нец, он не хо́чет про́сто жить и тра́тить де́ньги и мо́жет сде́лать ещё мно́го интере́сных прое́ктов.

Текст 13

Саша работал в банке. Работа была скучная, но зарплата хорошая. Каждый день он отвечал на письма клиентов, звонил, читал документы. Вечером он обычно смотрел мужские сериалы, а иногда — футбол. В выходные ходил в магазины и покупал продукты, одежду и даже книги. В общем, у Саши была нормальная жизнь, но не было счастья. Счастья у него не было, потому что он был один. Когда человек один, он часто несчастный. Правда, когда он не один — тоже...

Саша иногда встречал в клубе интересных девушек, даже приглашал в ресторан. Они ужинали вместе, но потом все девушки теряли интерес к нему. Саша думал, что девушки не любили его, потому что у него была странная фамилия. Не ужасная, а просто, можно сказать, некрасивая: Курицын. Ни одна девушка не хотела потом всю жизнь говорить: «Мой муж — Курицын».

Саша хотел даже поменять фамилию, но это было не так просто. Потом Саша подумал, что надо искать девушку-иностранку, потому что для неё его фамилия звучит нормально. Только он не знал, где эту иностранку искать, и не очень хорошо говорил по-английски. Как все после школы, он умел читать и знал популярные фразы из фильмов, но не говорил.

Однажды утром на работе Саша включил компьютер, выпил кофе и получил письмо... Он подумал, что Бог наконец услышал его. Саша прочитал письмо и не слышал, как начальник кричал: «Вы уже всё сделали? Вы позвонили в Центробанк? Вы написали контракт? Вы прочитали почту? Вы ответили на все письма?» В письме была фотография красивой экзотической девушки. Девушку Саша видел в первый раз, но она смотрела на него как на старого друга.

Саша прочитал письмо, выпил ещё кофе и начал читать ещё раз:

«Добрый день! Вы меня ещё не знаете, но я уже немного знаю о вас. Я дочка министра нефти и газа Народной Республики. В университете я изучаю русский язык и экономику, я умею писать по-русски. Вы, наверное, не понимаете, почему я решила написать это письмо? Это не очень просто, но я верю, что вы можете меня понять. После революции наша семья потеряла всё. Как минимум, я так думала. Но после смерти отца я открыла секретный сейф и прочитала его письмо. Он написал, что у меня есть капитал! Отец спрятал деньги в банке в Москве, потому что он очень любил вашу страну и ваш город. Раньше он учился в университете в Москве, у него там были друзья. Он думал, что в Москве я смогу получить эти деньги, встретить хорошего человека и начать новую жизнь. Я не была в России и боюсь всё делать одна, поэтому я ищу друга в Москве. Я увидела вашу фотографию в Интернете, прочитала, что вы работаете в банке, и подумала: "Вот он"! У вас интеллигентное лицо, хороший костюм и нет девушки: значит, вы очень скромный или очень много работаете. Для меня это очень важный шанс, а для вас — как минимум небольшой бизнес, а может быть, намного больше — кто знает? Но сначала я хочу получить от вас деньги на билет...»

Урок 31

ТВ01

Задание 12

1. О-о-о-о! Понедельник — это ужасно! Я так хорошо отдыхал в пятницу, субботу, воскресенье, и тут выходные заканчиваются, и снова — работать! В понедельник я не могу работать, я хочу отдыхать.

2. А я люблю понедельники! Потому что я люблю свою работу. Я преподаватель. В пятницу я очень устаю и хочу спать, в субботу и воскресенье я сплю много, а в понедельник я снова в хорошей форме, у меня есть энергия, и я отлично работаю! Как минимум, стараюсь отлично работать!

3. Мой любимый день? Конечно, пятница! Сегодня что, четверг? Вот, завтра я собираюсь в клуб, там мои друзья, мы встречаемся, отдыхаем, общаемся, танцуем! Да, как говорят в Америке: слава богу, пятница!

4. Я очень люблю субботу. Я встаю когда хочу, я делаю что хочу, и завтра тоже выходной! В субботу я абсолютно не думаю о работе, гуляю, смотрю сериалы, катаюсь на велосипеде... А в воскресенье я уже планирую, что делать в понедельник и потом, на неделе...

5. Конечно, все нормальные люди любят выходные! Все хотят отдыхать в баре, пить пиво, общаться... А я люблю танцевать! И не просто танцевать, я люблю спортивные танцы! Я тренируюсь во вторник и в четверг. Поэтому вторник и четверг — мои любимые дни!

6. Как я не люблю среду... Уф-ф-ф! Среда — самый трудный день! Уже работал в понедельник и во вторник, уже устал, а неделя ещё не кончается, ещё четверг и пятница! В среду я просто не хочу жить!

7. Я обычно работаю в выходные. Я диджей и музыкант, так что обычно в выходные, когда все отдыхают, общаются, танцуют, я работаю. Например, в пятницу у меня концерт, в субботу — дискотека, а в воскресенье мы играем в баре... Но я люблю выходные, потому что работа интересная, и потом, работа — это деньги!

Урок 32

ТВ02

Задание 5

Диалог 1

— На улице холодно, идём в кафе!
— Добрый день! У вас есть свободный столик?
— К сожалению, столика нет, но есть места у бара.
— Можно стейк и салат?
— Извините, стейка у нас нет. Салата тоже нет. У нас только напитки и десерты.
— Ладно, тогда стакан сока, чашку чая и два десерта. А у вас есть Интернет?
— Извините, Интернета нет.
— Как жаль!

Диалог 2

— Как интересно в России! Ты любишь русскую кухню? Идём в ресторан!
— Здравствуйте! У вас есть борщ?
— Нет, борща у нас нет.
— А икра?
— Извините, икры тоже нет.
— А квас у вас есть?
— И кваса нет.
— Как нет? Мы же в России.
— Да, но это итальянский ресторан. У нас есть пицца и паста.
— Mamma mia!

Урок 33

ТВ03

Задание 6

Жизнь в Сибири

Здравствуйте! Меня зовут Макар. Я живу в Сибири, в деревне далеко от **города**. Мы живём хорошо: у нас есть лес, большая река Енисей, много **снега** зимой и много **работы** летом. У нас нет **бассейна**, но есть холодная река, нет **фитнес-клуба**, но есть физическая работа, нет **супермаркета**, но есть лес и тайга. В деревне есть школа и два **магазина**. У нас нет **врача**, и до **врача** ехать 254 **километра**, но здесь прекрасная экология, и у нас сибирское здоровье! У нас нет **Интернета**, нет **полиции**, нет **университета**, нет **аэропорта**. У нас нет почти ничего, но есть **природа**: большая река и тайга до **горизонта**.

Урок 34

ТВ04

Задание 4

Диалог 1

— Добрый вечер!
— Здравствуйте, я вас слушаю!
— Я бронировал номер на две **ночи**.
— Да, как ваша фамилия?
— Фёдоров.
— А имя?
— Константин.
— Да, минутку! Ваш номер 321. А это кто?
— Это Рекс. А что?
— Нет, только без **собаки**, пожалуйста!
— Как без **собаки**?! **Собака** – друг человека!
— У нас в **отеле** сосед — друг человека! А если у соседа аллергия?
— Что же делать? Я без собаки не могу...
— Я знаю недалеко хороший **отель** для **собаки**.

Диалог 2

— Здравствуйте! Я ищу дешёвую гостиницу в центре...
— Отлично! У нас самая дешёвая гостиница, можете больше не искать!
— Как хорошо! У вас есть свободный номер?
— Конечно, есть! И только за тысячу. Итак, номер на одну **ночь**?
— Если можно, на три **ночи**.
— Да, пожалуйста! Ваш **паспорт**?
— А можно без **паспорта**?
— Нет, без **паспорта** нельзя!
— Хорошо, вот он...
— Спасибо! Вы хотите номер на три или на четыре человека?
— Что? Я в номере не один?
— Если вы платите 4 тысячи, вы можете быть один, а если вы платите только тысячу, у вас в номере 2 или 3 соседа.
— Хорошо, а **душ** есть?
— Конечно, есть. Два **душа** на первом этаже, а в номере **душа** нет.
— Всё ясно. А **телевизор** и **холодильник** есть?

— **Телевизора** нет. **Холодильника** тоже нет, но это не проблема, там сейчас холодно.
— Боже... А какой вид из **окна**?
— **Окна** тоже нет, но есть **дверь**!
— Да! Это хорошо. Где здесь **дверь**?
— Куда вы?!

Урок 35

ТВ05

Задание 3

Диалог 1

— Куда ты **бежишь**?
— Я **бегу** в парк. Я **бегаю** каждое утро. А ты?
— А я сейчас **иду** в бассейн. Я **плаваю** 2 раза в неделю.

Диалог 2

— Смотрите, как быстро он **плывёт**!
— Да, это новый чемпион! Жаль, что я не умею так быстро **плавать**!

Диалог 3

— Здравствуйте, ваш паспорт! Куда вы **летите**?
— Я **лечу** в Индию работать.
— Странно! А я обычно **летаю** в Индию отдыхать.

Диалог 4

— Где вы были летом?
— Мы **летали** в Венецию. Там люди не **ездят** на машине, там все **плавают** на гондоле.
— А мы **летали** в Египет и **плавали** в море.

Диалог 5

— Привет! Вы **идёте** в субботу на концерт?
— Нет, мы не можем. Мы утром **едем** в аэропорт.
— А куда вы **летите**?
— Мы **летим** в Грецию на Крит, а потом **плывём** на остров Санторини.
— Здорово! Мы **летали** на Крит 2 года назад и тоже **плавали** на Санторини.

ТВ06

Задание 11

Диалог 1

— Привет! О, хороший капучино... Кстати, ты говорила, вы едете в Италию?

— Да, но не просто в Италию, а в круиз! В Италии мы уже были. Мы из Венеции плывём на Сицилию и на Крит, а потом в Черногорию и Хорватию.
— Интересно! А это дорого?
— Нет, не очень.

Диалог 2
— Алло! Привет! Ты в Петербурге? Может быть, встретимся через 2 недели!
— Правда? Ты едешь в Петербург?
— Я еду в круиз! Мы плывём из Стокгольма в Хельсинки, потом в Петербург, в Таллин и в Копенгаген... В Петербурге наш корабль стоит 2 дня.
— Отлично, надо встретиться!

Диалог 3
— Алло! Привет, какие новости?
— А знаешь, мы едем в круиз!
— Да? А куда?
— На Карибское море. Сначала летим в Майами, а потом плывём в Гваделупу, на Мартинику, Барбадос, Арубу, Ямайку...
— Вот это да! Я тоже хочу.

Урок 36

ТВ07

Задание 5

1. Там много туристов, картин, скульптур, гидов, но мало стульев.

2. Там много продуктов, овощей, фруктов, покупателей, кассиров, но нет собак.

3. Там много столов, стульев, клиентов, официантов, супов, салатов и десертов.

4. Там много студентов, профессоров, книг, столов, стульев и экзаменов, но немного денег.

5. Там много людей, самолётов, паспортов, чемоданов и таксистов.

6. Там много евро, долларов и рублей. Они дают много кредитов и получают много процентов.

Урок 37

ТВ08

Задание 7

Собачья жизнь!

Есть богатые люди и бедные люди, мы все это знаем. Но не все знают, что в мире есть богатые животные!

Часто они просто получают деньги от людей, но иногда даже зарабатывают!

Например, самое популярное животное Интернета — Сердитый Кот. Когда я пишу этот текст, у него уже **8 745 145** подписчиков в «Фейсбуке», о нём есть несколько мультфильмов, фанаты покупают много **сувениров**, а его капитал уже **100 миллионов** долларов. Даже странно, что он сердитый.

Шимпанзе Майкла Джексона не только тратит **2 миллиона** долларов короля поп-музыки, но и рисует картины, и люди покупают их на аукционе!

Самая богатая собака в мире — Гюнтер Четвёртый. После смерти хозяйки у Гюнтера большой капитал — **372 миллиона** долларов. Он живёт в Майами, в прекрасном доме, где 9 комнат и 8 туалетов, и ездит отдыхать на Багамы. А в России «собачья жизнь» значит «жизнь трудная и бедная»...

Или вот ещё красивая история: жил в Италии чёрный кот Томмазо. Он жил в Риме **на улице**, потому что у него не было дома. Один раз там гуляла богатая старая женщина, и после их встречи кот жил у неё дома до её смерти. Сегодня у него тоже нет проблем: у кота много **домов** и **квартир** в Италии, от Милана до Калабрии, и **10 миллионов** евро. Кстати, у него есть несколько друзей-котов, они тоже живут на его деньги.

Большие деньги есть не только у кошек и собак. Например, у курицы Гигу **14 миллионов** долларов. Да, я понимаю ваши эмоции...

Родственники миллионеров, конечно, протестуют, когда деньги получают животные, но каждый человек может сам решать, как тратить деньги, правда?

Урок 38

ТВ09

Задание 3

Пётр Первый **родился 9 июня 1672 года**.
Екатерина Вторая **родилась 2 мая 1729 года**.
Наполеон **родился 15 августа 1769 года**.
Елизавета Вторая **родилась 21 апреля 1926 года**.
Нострадамус **родился 14 декабря 1503 года**.
Иоганн Себастьян Бах **родился 31 марта 1685 года**.
Моцарт **родился 27 января 1756 года**.
Чайковский **родился 7 мая 1840 года**.
Достоевский **родился 11 ноября 1821 года**.

Урок 39

ТВ10

Задание 10

Свен, 45 лет

Россия — это страна, которая всегда меня интересовала. Я в университете почти ничего не знал о России, но всегда хотел видеть Сибирь. Я думал, что она как Швеция: север, лес... Только очень большая! И потом, у вас такая литература! Я читал Достоевского, Чехова, Толстого — писателей, которых знает весь мир!

Питер, 72 года

Я родился в Венгрии, в школе мы все изучали русский язык, но я не любил его. Сейчас я уже много лет живу в Америке, и русский язык — моё хобби. Я люблю путешествовать и часто езжу в Россию, у меня там много друзей, я читаю русскую литературу. Я уже немолодой человек, и для меня учить русский — это прекрасная возможность быть в форме!

Амедео, 37 лет

Я из Италии, я архитектор, живу и работаю в Петербурге. У меня русская жена, бизнес и русские клиенты. В Петербурге было много итальянских архитекторов, так что я здесь как дома. Наверное, я не Растрелли, но я стараюсь работать хорошо. Богатые клиенты хотят архитектора из Италии, так что дела идут прекрасно. Моя жена знает иностранные языки, но её мама и мои клиенты — нет, они говорят только по-русски, значит, надо знать русский язык!

Кристиан, 21 год

Я сейчас студент, и я изучаю русский язык в университете. Я ещё изучаю экономику и финансы, и я думаю, что говорить по-русски может быть важно для карьеры. Говорят, что банки и большие компании ищут людей, которые говорят по-русски. Ну и ездить в Россию я люблю, русские девушки очень красивые!

Моника, 32 года

Почему я изучаю русский? Это просто! Я люблю искусство, литературу, классическую музыку и балет. Я слушаю Чайковского, Рахманинова, Шостаковича. Когда я езжу в Россию, я хожу в театр почти каждый день! Здесь это недорого. А русский балет — это как итальянская опера, самый известный в мире.

Урок 40

ТВ11

Задание 9

Психологи говорят, что у женщин **лучше** работает **интуиция**, а у мужчин — **логика**. Иногда интуиция женщин даёт результаты лучше, чем логика мужчин! Интересно, что женщины обычно **практичнее** мужчин, а мужчины **романтичнее** женщин. Мужчины обычно физически сильнее, чем женщины, и мы хорошо можем видеть это в **спорте**. Они более **смелые** и агрессивные, но женщины более эмоциональные и конфликтные. Все знают, что женщины **больше** говорят, но не очень любят говорить о спорте и политике.

Все хотят знать, кто **умнее**: мужчины или женщины. У психологов нет ответа на этот вопрос. По статистике, женщины более **нормальные**. Мужчины очень разные: есть очень **умные**, а есть очень **глупые**. Просто у мужчин **больше** разница в интеллекте.

Урок 41

TB12

Задание 8

Диалог 1

— Что ты хочешь **делать** после университета?
— Хочу **найти** хорошую работу и начать **зарабатывать**, но это непросто. А ты?
— А я не хочу **работать** в корпорации, я хочу **открыть** бизнес.
— Это большой риск! Надо **работать** день и ночь!
— Нет, бизнес в Интернете — это очень просто!

TB13

Диалог 2

— Скоро на пенсию! Ты уже знаешь, как **жить** дальше?
— О, у меня большие планы! Я хочу много **читать**. Может быть, ещё **учить** иностранные языки. А ты?
— А я хочу **продать** всё, **получить** много денег и **купить** дом в Коста-Рике. А потом **жить** на море, **есть** фрукты и **плавать** каждый день!

Урок 42

TB14

Задание 4

— Ну, я думаю, всё готово! Я так рад!
— Что ты?! Смотри, платье купили, так?
— Да, купили, и туфли купили!
— А кольца не купили!
— Ой, это важно! Надо купить! И рубашку!
— Да, рубашку тоже забыли купить. Хорошо, что костюм купили.
— А ботинки?
— Нет, ботинки тоже ещё не купили. Но уже купили билет на самолёт! И отель заказали, после свадьбы — отдых!
— Хорошо, ресторан заказали, так?
— Да, ресторан заказали.
— А торт? Торта ещё нет!
— Да, торт забыли заказать. Боже мой, что там ещё?
— Машина!
— Машину заказали, а цветы забыли!
— Так, цветы надо заказать. Гостей мы пригласили?
— Конечно, пригласили!

— А музыкантов?
— Музыкантов ещё нет... А деньги на всё это есть?
— Деньги есть, я взял кредит!

TB15

Задание 4

Рома и Катя — молодожёны. На свадьбе они получили прекрасный подарок — тур в Испанию! Они жили 2 недели в красивом отеле, плавали в море, много гуляли. Каждый вечер они ужинали в ресторане и пили сангрию. Вечером они танцевали фламенко и покупали сувениры. Катя купила красивое платье, а Рома — огромный хамон.

TB16=TB17

Задание 7, задание 8

Диалог 1

— Ты устала, любимая?
— Да, я весь день **работала**: **покупала** продукты, потом готовила и **убирала**.
— Бедная!

Диалог 2

— Алло! Что купить?
— Ничего! Я уже всё **купила** и даже **приготовила** ужин. Ты рад?
— Спасибо, дорогая!

Диалог 3

— Ты устал, дорогой?
— Да, я **работал** весь день, **написал** тысячу писем, даже ничего не **ел**!
— А ты **купил** фрукты и молоко?
— Прости! Я так устал, что всё **забыл**!

Диалог 4

— Павлик, ты **взял** ключи?
— Да, кажется, **взял**!
— Что значит «кажется»? **Взял** или нет? А шапку **взял**?
— Мам, ну что ты? Я не маленький!

Диалог 5

— Где моя сосиска? Ты **съел**?
— Почему я? Наверное, кошка **съела**...
— Но у нас нет кошки!
— А у соседа есть.

Диалог 6

— Почему собака так на меня смотрит? Она сегодня **ела**?
— Конечно! Два раза **ела**. Просто у неё амнезия...

Урок 43

ТВ18=ТВ19

Задание 1

Диалог 1

— Добрый день! Что **будете** заказывать?
— Я **буду** салат, борщ, куриный шашлык и десерт...: Нет, десерт не **буду**, я на диете.

Диалог 2

— Привет! **Будешь** пиво?
— Нет, не **буду**. Я на машине.

Диалог 3

— Ты **будешь** суп?
— Нет, я не люблю суп!
— Ты знаешь, что надо есть суп?!
— Ладно, **буду** твой суп...

Диалог 4

— Добрый вечер? Вы готовы сделать заказ?
— Конечно, нет! Можно сначала меню?
— Извините, минутку... Вот, пожалуйста, меню. Что **будете** есть?
— Я **буду** бизнес-ланч.
— А пить **будете**?
— Пить? **Буду**. Можно кофе?

Диалог 5

— **Будешь** смотреть футбол?
— Конечно, **буду**! Наши играют.

ТВ20

Задание 4

Новая жизнь

Завтра понедельник. Я начинаю новую жизнь! Я регулярно **буду ходить** на фитнес и больше не **буду курить**. Я **буду спать** минимум 8 часов, а не 6, как сейчас. А ещё я **буду делать** всё вовремя, а не потом. Эх, любимое слово «потом»!

ТВ21=ТВ22

Мой метод

Ура! Я еду учиться в Россию на целый год. Я **буду изучать** русский язык. Сначала я ничего не **буду понимать**, но потом, надеюсь, я **буду говорить** как настоящий русский. Говорят, язык очень сложный и надо учить грамматику. Я не верю!

У меня есть своя система. Я **буду жить** в центре города и много гулять. Вечером я **буду сидеть** в кафе и говорить по-русски. Вы согласны, что самое главное — это практика?

ТВ23

Задание 5

Любовь

— Любимый, скоро наша свадьба! Как романтично! Мы будем жить вместе дружно и весело. Ты будешь дарить цветы, а я буду встречать тебя вечером дома... Мы будем вместе путешествовать.
— А кто будет готовить? Я люблю есть!
— Готовить?! Я не буду! Готовить я не люблю. Мы будем ходить в ресторан.
— Каждый день ходить в ресторан?! А кто будет зарабатывать деньги?
— Ну что ты начинаешь... Ладно, я буду учиться готовить. Я же тебя люблю!

ТВ24

Соседи

Три студента хотят арендовать одну квартиру и жить вместе. Так намного дешевле и веселее. Есть только одна проблема: кто что будет делать.

Томас мечтает, что будет играть на гитаре и спать до обеда.

Ли Юнь мечтает, что будет весь день тихо учиться, а ночью спокойно спать.

Арни — бодибилдер и мечтает, что дома он будет активно тренироваться, много спать и есть 6 раз в день.

ТВ25

Задание 6

Диалог 1

— Я очень хочу кофе.
— Минутку, сейчас **сделаю**.

Диалог 2

— Ты не знаешь, когда мы едем на пикник?
— Ещё не знаю. Завтра **позвоню**.

Диалог 3

— У меня скайп не работает!
— Сейчас **помогу**.

Диалог 4

— Можно ваш имейл?
— Давайте я **напишу**.

Диалог 5

— Собака сегодня ещё не гуляла.
— Хорошо, сейчас **погуляю**.

Диалог 6

— Ты уже собрала пазл?
— Он такой большой! Надеюсь, через месяц **соберу**.

Диалог 7

— Я еду на Олимпиаду.
— Правда? Я надеюсь, что ты **выиграешь**!

Диалог 8

— Где мои джинсы?
— Господи, сейчас **найду**.

Диалог 9

— Вы уже выбрали, что будете пить?
— Минуточку, сейчас **выберу**.

Диалог 10

— Мы очень устали!
— Ещё 5 минут, мы скоро **закончим**.

Урок 44

ТВ26

Задание 7

Даниил — талантливый музыкант из Южно-Сахалинска. Когда **ему** было 5 лет, **он** уже хорошо играл на пианино, а в 7 лет давал концерты. В 8 **ему** дали первую премию на международном конкурсе. Сейчас **ему** 16, и **он** играет с лучшими симфоническими оркестрами России, выступал в Карнеги-холле.

Елисей из Ставрополя — тоже пианист. Когда **ему** было 3 года, **он** начал играть на пианино, а в 5 лет начал писать музыку. Это самый молодой музыкант, который участвовал в телеконкурсе «Синяя птица» и победил. Сейчас **он** даёт концерты в лучших концертных залах Москвы, с **ним** играет в 4 руки пианист Денис Мацуев. А ещё Елисей учится в музыкальной школе.

Акрит из Индии — медицинский гений! **Он** сделал первую операцию, когда **ему** было 7 лет и **у него** ещё не было диплома.

Когда **ему** было 12 лет, **он** поступил в медицинский институт, а в 17 лет **он** уже получил диплом магистра. Сейчас **он** ищет лекарство от рака.

Джейкоб — американский математик. Когда **ему** было 2 года, врачи сказали, что **у него** аутизм и **он** не будет говорить, читать и писать. Но когда **ему** было 3 года, **он** уже знал алфавит, а когда **ему** было 10 лет, **он** поступил в университет Индианы. Сейчас **он** специалист по квантовой физике.

Васик — самый маленький IT-эксперт в мире. В 3 года **он** начал работать в текстовом редакторе, а в 4 — изучать языки программирования и популярные программы. Гениальный мальчик из Бангладеш нигде не учился. Сейчас **ему** 11 лет, **он** работает в одной сингапурской компании. А ещё **его** интересуют компьютерные игры, космические технологии и археология.

Урок 45

ТВ27

Задание 3

Ольга

«Когда **мне** грустно, **я** не хочу делать ничего. **Я** просто говорю: "Мне плохо. **Я** хочу побыть одна". **Я** смотрю сериал или читаю».

Игорь

Игорю помогает традиционный русский рецепт: когда **ему** плохо, **он** звонит друзьям, и **они** вместе идут в баню, а после бани **ему** легко, весело и хорошо.

Катя

Когда **ей** грустно, **она** идёт в спортзал. Спорт помогает **ей**, и после тренировки **ей** всегда лучше.

Свен

«Когда **мне** грустно, **я** начинаю активно работать. Работа всегда помогает **мне** быть в форме. Если **вам** грустно, это важный сигнал: надо менять жизнь, искать новую работу, новых друзей или новое хобби».

Психологи говорят, что, если **вам** грустно, трудно, плохо, нужно попробовать писать стихи или картины, играть музыку или петь. Говорят, это помогает.

Урок 46

ТВ28

Задание 3

Диалог 1

— Дорогая, мы идём в ресторан.
— Как хорошо! **Мне не нужно** готовить.

Диалог 2

— Я хочу десерт.
— **Тебе нельзя** есть десерт. Ты на диете!

Диалог 3

— Мы хотим спать.
— **Вам нельзя** спать! Вы на работе.

Диалог 4

— Алло! Это банк? **Можно мне** взять кредит?
— Можно, но сначала **вам надо** собрать документы.

Диалог 5

— Я жду ребёнка!
— Прекрасно! **Тебе нужно** больше есть и **нельзя** курить.

ТВ29

Задание 7

Диалог 1

— Ты почему такая грустная?
— **Голова** сильно болит.
— Тебе надо меньше думать!

Диалог 2

— Здравствуйте! Что у вас болит?
— Ой, доктор! У меня **всё** болит.
— Очень интересно!

Диалог 3

— Алло! Привет! Как ты?
— Ужасно! У меня болит **зуб**. Ой-ой-ой!
— Бедная!

Диалог 4

— Что с тобой?
— У меня болит **спина**. Вчера весь день работала в саду.
— Зачем? Сейчас всё можно купить в магазине.

ТВ30

Задание 8

Диалог 1

— Как ты себя чувствуешь?
— Ужасно! Голова болит, температура...
— Тебе надо позвонить врачу.

Диалог 2

— Доктор, как он себя чувствует? Ему лучше?
— Не хуже.

Диалог 3

— Добрый день! Как вы себя чувствуете?
— Спасибо, уже лучше!

Диалог 4

— Привет! Как ты себя чувствуешь?
— Так себе, душа болит. Спать не могу.

Урок 47

ТВ31

Задание 9

Игорь: Милая, что ты делаешь в субботу вечером?

Ольга: Ты что, не помнишь? **Мы** идём на день рождения к твоему старшему брату.

Игорь: Точно, Вове будет уже 42 года! Только **нам** ещё надо купить подарок!

Ольга: Ну, **мне** трудно выбрать, ты **его** лучше знаешь! А потом, мне кажется, **ему** ничего не нужно: **у него** уже всё есть!

Игорь: У него нет собаки. Как ты думаешь, **ему** нужна собака? По-моему, это хорошая идея!

Ольга: К сожалению, **ему** нельзя иметь собаку! **Его** так часто нет дома, что **у неё** будет депрессия...

Игорь: Хорошо, а что нам **ему** подарить? Книгу?

Ольга: Нет, книги сейчас электронные. Может быть, просто деньги? Деньги лучше, чем вещи, потому что деньги — это любая вещь!

Игорь: Это примитивно, а **ему** нравятся сюрпризы...

Ольга: Слушай, я знаю! Мы можем подарить **ему** сертификат. Это сейчас очень популярно. Он может сам выбрать, что **ему** больше нравится. Можно летать на самолёте, можно брать уроки музыки или танцев, можно выбрать массаж или визит в спа-салон.

Игорь: Отличная идея, **мне** нравится! А **мне** на день рождения ты подаришь такой сертификат?

В субботу:

Игорь: Пора идти! **Нас** уже ждут. А **нам** ещё надо купить цветы его жене.

Ольга: Минутку, **мне** надо ещё одеться.

Игорь: Тогда я позвоню Вове и скажу, что **мы** опоздаем...

У Владимира:

Игорь: Привет! По-здра-вля-ем! Желаем **тебе** радости, здоровья, счастья! Катя, эти цветы — **тебе**!

Катя: **Мне**? Спасибо, какие красивые розы!

Владимир: А мне? Это у **меня** день рождения!

Ольга: А **тебе** мы дарим шанс получить новые эмоции!

Владимир: Что это? Открытка?

Игорь: Это сертификат, **ты** можешь выбрать, что **тебе** нравится: танцы, бокс, массаж, парашют...

Владимир: О, это интересно, спасибо!

Урок 48

Задание 4

Диалог 1

— **Покажите**, пожалуйста, эту матрёшку.
— Вот, пожалуйста, **смотрите**.

Диалог 2

— Алло! Здравствуйте! **Послушайте**!
— **Извините**, у меня совсем нет времени! **Позвоните** завтра!

Диалог 3

— **Скажите**, пожалуйста, что это?
— Это традиционное русское блюдо. **Попробуйте**!

Диалог 4

— **Послушайте**! Сейчас я расскажу вам о нашем проекте.
— Лучше **напишите**, я потом прочитаю.

Диалог 5

— **Слушай**! У меня новость: я иду на свадьбу к Ричарду.
— **Передай** ему привет!

Диалог 6

— Папа, а что мы делаем в субботу?
— **Спроси** маму, она лучше знает.

Диалог 7

— Вы идёте в кафе?
— Да, через 5 минут.
— **Подождите** меня, я тоже хочу!

Задание 7

1. **Изучайте** русский язык: в России люди плохо говорят по-английски!
2. **Не говорите** много о погоде: русские думают, что это глупо!
3. **Не говорите** быстро! Важные люди в России говорят медленно.
4. **Попробуйте** русскую кухню.
5. **Пейте** квас и **ешьте** суп.
6. Если хотите сказать тост, **говорите**: «За ваше здоровье!» — и **не говорите**: «На здоровье!»
7. Когда идёте в гости, **купите** торт и маленькие подарки для детей.
8. **Не говорите** «ты» незнакомым людям!
9. **Не верьте**, когда русские говорят: «Это недалеко». Россия — самая большая страна в мире, поэтому 1000 километров для нас — это «недалеко».
10. Если вы приглашаете девушку в ресторан, **заплатите** за ужин: в России думают, что это нормально.
11. **Не говорите** людям на улице «мужчина», «женщина» или «товарищ», лучше **скажите** просто: «Извините»!
12. **Не критикуйте** жизнь в России: русские любят критиковать Россию, но не любят, когда это делают иностранцы.

Урок 49

Задание 2

5. Жарко! Давай поплаваем!
1. Что ты сидишь? Давай потанцуем!
3. Не надо спорить! Давайте искать компромисс!
2. Какая хорошая погода! Давайте ещё погуляем!
4. Что ты всё время смотришь в телефон! Давай поговорим!
6. Хватит смотреть телевизор! Давайте поужинаем!

Урок 50

ТВ35

Задание 5

Диалог 1

— О, вот «Теремок»! Давно пора попробовать русскую кухню. Ты хочешь есть?

— Да, давай поедим. А что у них есть?

— Разные блины: с **мясом**, с **картошкой**, с **рыбой**, с **бананом** и **шоколадом**.

— Да?! Я не знал, что **банан** — русская кухня…

— Да нет, просто русские любят экзотику.

— Я хочу классический блин.

— Тогда лучше с **рыбой** или с **икрой**. Приятного аппетита!

Диалог 2

— Это что? Равиоли?

— И да и нет. Это пельмени, русские равиоли, только вкуснее.

— Надо попробовать! А с чем они?

— Обычно с **мясом**. Есть ещё с **рыбой**, иногда с **курицей**.

— Нет, я вегетарианка.

— Тогда бери с **картошкой** и **грибами**!

— С **картошкой**? Я боюсь, это плохо для фигуры.

Урок 51

ТВ36

Задание 6

Таня: Привет, Слава!

Слава: Это ты, Таня? Сколько лет, сколько зим!

Таня: Как ты? Где живёшь, чем занимаешься?

Слава: Я стал детским писателем. Пишу книги для детей.

Таня: Да что ты! Ты всегда был особенным, ещё в школе!

Слава: Я? Почему особенным? Всё логично: Булгаков был врачом и писал о докторах, Лермонтов был офицером и писал о героях, а я был ребёнком и пишу о детях и для детей. Всегда хорошо, когда пишет специалист. А ты, кажется, занималась теннисом. Ты стала спортсменкой?

Таня: Нет, какой спорт! Я работала психологом. Сейчас не работаю, я замужем, у меня 2 сына.

Слава: Значит, ты замужем?

Таня: Да, я замужем за прекрасным человеком. Он занимается бизнесом и очень много работает! А что с другими нашими одноклассниками?

Слава: Я встречался с Игорем. Он стал биологом. А ты помнишь Аню Покровскую?

Таня: Да, которая занималась балетом! Стала балериной?

Слава: Нет, работает стюардессой… Говорит, что ей нравится: летает в разные страны.

Таня: А я ещё встречалась с Романом. Он стал литературным критиком.

Слава: Да, он ещё в школе не любил литературу!

Таня: Это точно! Слушай, извини, мне пора идти. Была рада с тобой встретиться!

Слава: Подожди, хочешь, я твоим детям свои книги подарю? Хорошие, с картинками.

Таня: Правда? Конечно! Они будут рады. Вот мой телефон. Пиши, звони!

Слава: Спасибо! До встречи! Пока!

Урок 52

Задание 2

ТВ37

Диалог 1

— Слава богу, пятница! Куда пойдём?

— Может быть, пойдём в бар «Чемпион»? Сегодня футбол, «Зенит» — «Спартак».

— Нет, я **пойду** в кино. Там новый «Шерлок Холмс». А ты **пойдёшь**?

— Нет, не **пойду**. Я потом в Интернете посмотрю.

— Футбол тоже можно дома посмотреть.

— Нет, я в бар **пойду**, там атмосфера!

ТВ38

Диалог 2

— Скоро каникулы! Ты домой **поедешь**?

— Нет, не **поеду**. Что я там не видел?! Я с друзьями поеду в Берлин. Там клубы, концерты! Культурная столица Европы… Поедешь с нами?

— Нет, не **поеду**. Я поеду домой, меня родители ждут!
— Ладно, как хочешь! В Берлине круто!

ТВ39

Диалог 3

— Вы дипломаты, вы элита страны, можно сказать, её лицо! Скоро вы получите дипломы нашей Дипломатической академии и **поедете** в разные страны.
— А кто куда **поедет**?
— Вы, например, **поедете** в Россию.
— Я не **поеду** в Россию. Я не говорю по-русски. Русский язык очень трудный. Есть другие варианты?
— Конечно, есть. Тогда вы **поедете** в Гватемалу.
— Я **поеду** в Гватемалу? Почему в Гватемалу?
— Потому что вы говорите по-испански. А кто говорит по-португальски, поедет в Бразилию.
— А я говорю по-французски... Куда я **поеду**? В Париж?
— Вы **поедете** в Алжир.

ТВ40

Диалог 4

— Какой кошмар! Мы все заболели. У нас грипп. Значит, завтра все сидим дома и принимаем таблетки.
— Как дома? А ты не **пойдёшь** на работу?
— Не пойду. И ты не **пойдёшь**. Дима тоже в школу не **пойдёт**.
— Ура!!! А на футбол я **пойду**?
— Ты что, какой футбол? Не пойдёшь.
— Ну-у-у-у...

ТВ41

Задание 9

— Не понимаю, как можно было за границей потерять паспорт?! Теперь что делать?
— Пойдём в консульство, они скажут, что делать.
— Подожди, давай попробуем сначала паспорт найти. Ты помнишь, что ты вчера делал?
— Ну конечно! Утром я встал и **пошёл** на завтрак: здесь, в гостинице. После завтрака сразу **пошёл** в Лувр: я слышал, там очереди. Я в Лувре был до обеда,

очень понравилось! А из Лувра я **пошёл** в ресторан. Пообедал и **пошёл** гулять, посмотрел Нотр-Дам, выпил кофе и вечером **пошёл** в театр.
— И всё?
— Всё, после театра взял такси и **поехал** в гостиницу.
— Ладно, завтра поедем искать: **пойдём** в Лувр, в ресторан, в театр, а если не найдём, тогда **пойдём** в консульство.
— Снова в Лувр? Отличный план!

Урок 53

ТВ42

Задание 2

Раньше Алекс был женат. Он очень любил свою жену, но ещё больше он любил свою работу. Каждое утро он рано **уходил** на работу и сидел в офисе весь день, обычно не вы**ходил** даже на обед. Иногда он при**ходил** домой в 9 вечера, а иногда очень уставал на работе и по дороге домой вместе с коллегами за**ходил** в бар. Тогда он при**ходил** домой только в полночь. Когда он в**ходил** в квартиру, жена обычно у**ходила** на кухню и не разговаривала с ним. Однажды Алекс при**шёл** утром. Он тихо во**шёл** в квартиру и увидел, что жены нет. Он понял, что она у**шла** от него.

Сейчас Алекс живёт один. Он у**ходит** из дома и при**ходит** домой когда хочет. Он не умеет готовить, поэтому каждый вечер за**ходит** в кафе. Иногда к нему домой при**ходят** коллеги, и они вместе отдыхают. Вы думаете, он рад? Нет, он не хочет жить один. Алекс понял, что он был неправ. Он мечтает снова жениться и любить жену больше, чем работу.

Если Алекс найдёт новую девушку, он будет рано при**ходить** домой, он не будет за**ходить** в бар с коллегами, а друзья будут при**ходить** к ним в гости. Они будут больше отдыхать вместе, и тогда жена не у**йдёт** от него.

ТВ43

Задание 4

1. — А Дед Мороз завтра **придёт**?
— Конечно, он **придёт**. Ты же хороший мальчик. Дед Мороз всегда **приходит**

к хорошим детям. Помнишь, в прошлом году он **приходил** и подарил тебе большой конструктор.

— Мам, а почему он **приходит** только к детям? Взрослые плохие?

2. — Почему ты плачешь, Аня?

— Мой парень **ушёл** от меня.

— Как **ушёл**?! Почему?

— Он сказал, что больше не любит меня.

— Я не верю ему. Он уже 3 раза **уходил**.

3. — Алло! Кажется, я сегодня не **прилечу**!

— Почему? Ты опоздал на самолёт?

— Если бы! В Париже забастовка. Самолёт не может вылететь.

— Боже! Эти французы!

4. — Алло! Ты где? Самолёт **прилетел** 2 часа назад!

— Я уже здесь, но мой багаж не **прилетел**.

— Ладно, это не проблема. Багаж потом **прилетит**. Я жду тебя у выхода!

Урок 33

Задание 4

Без чего человек не может жить?

Мы все знаем, что думают врачи: без воды, без еды, без воздуха. Но у человека обычно есть ещё важные интересы, и часто люди говорят, что без них не могут жить. Вот, например, наши друзья Дубовы: Дима не может жить без футбола, Ольга не может без фитнеса, а Игорь не знает, как жить без бани. Их друг Свен не может жить без работы, а Хельга не любит, когда Свена нет дома. У Владимира и Кати в жизни тоже есть важные вещи: Владимир не может жить без моря, а Катя — без шопинга.

Урок 34

Задание 6

Диалог 1

— Здравствуйте!
— Добрый день! Я вас слушаю!
— Я бронировал номер. Меня зовут Андрей Платонов.
— Да, вижу, двухместный, на две ночи.
— Нет, извините, был одноместный!
— У меня в системе двухместный.
— Странно! Понимаете, я один... Как минимум сейчас...
— Извините, но это не моя проблема.
— Извините, но я думаю, что это ваша ошибка. Вы не знаете, здесь есть другие гостиницы?
— Знаете что, вы можете жить там один и платить как за одноместный.
— Правда? Спасибо большое!
— Что вы, клиент всегда прав!

Диалог 2

— Здравствуйте!
— Добрый день! Я вас слушаю.
— У вас есть свободные номера?
— Да, конечно! Вас интересуют одноместные или двухместные?
— Двухместный.
— Отлично! На одну ночь?
— Нет, на 3 ночи.

— Одну минуточку... На 3 ночи... да, есть номер на втором этаже, в номере есть душ и мини-бар.
— А телевизор?
— Телевизор не работает, но есть Интернет и прекрасный вид на реку и центр города.
— А сколько стоит?
— У нас сейчас скидки, номер стоит 4 тысячи.
— Хм... Недорого. Хорошо, идёт!
— Пожалуйста, ваш паспорт.
— Пожалуйста, вот он.
— Так, вот бланк, здесь вы пишете фамилию, здесь — имя, тут — номер паспорта, а там — дату.
— Так... Готово!
— И можно вашу кредитную карту, пожалуйста!
— Вот она!
— Спасибо! Вот ваши ключи, ваш номер 125. Завтрак на первом этаже.
— Спасибо, я очень рад!

Урок 40

Задание 7

Диалог 1

— Привет! А это кто был в кино вчера? У тебя новый парень?
— Да! А что?
— Прошлый был красивее.
— Да ну! Этот и умнее, и веселее, и богаче!
— Ну, ты лучше знаешь, кто для тебя лучше, а кто хуже.

Диалог 2

— Дорогая, что ты хочешь?
— Я? Я хочу фуа-гра и тирамису. И шампанское!
— Но суп или салат полезнее.
— Ты так говоришь, потому что это дешевле?
— Нет, что ты! Я хотел как лучше!
— Я лучше знаю, что я хочу!

Диалог 3

— Алло! Здравствуйте! Я ищу квартиру...
— Отлично! Я самый хороший агент в этом городе!
— Это хорошо. Но меня больше интересует не хороший агент, а хорошая квартира...

— Какую квартиру вы хотите, в каком районе?

— Я хочу в центре, я там работаю.

— Ну, в центре есть варианты, но в центре дороже.

— Я не хочу дороже, я хочу дешевле.

— Дешевле тоже есть, но дальше от центра... Большая квартира, хороший ремонт...

— Нет, я один, без семьи. Лучше меньше, но ближе.

Диалог 4

— Скоро отпуск, а мы ещё не знаем, куда едем!

— Я хочу в Италию!

— А я в Таиланд!

— Но Таиланд дальше!

— Там теплее!

— Там не теплее, а жарче!

— Ну, в Таиланде интереснее!

— А Италия ближе! И в Таиланд билеты дороже!

— Билеты дороже, а там всё дешевле.

Урок 41

WB05

Задание 8

Диалог 1

— Что ты хочешь делать в выходные?

— Я хочу весь день сидеть дома.

— А я в субботу хочу купить собаку!

— Ты что?! Ты хочешь гулять каждое утро?

— Почему нет? Я люблю гулять!

Диалог 2

— У тебя скоро отпуск. Что ты планируешь делать?

— Как что? Хочу весь отпуск лежать на пляже и пить мохито.

— На пляже?! Сейчас зима!

— Это не проблема! Можно купить билет и отдыхать в Таиланде!

Диалог 3

— Что ты сегодня хочешь делать после работы?

— Не знаю... Я думал взять гитару и весь вечер играть. А что?

— Я хочу пригласить тебя на день рождения.

— А, спасибо! Надо только купить подарок!

Урок 43

WB06

Задание 2

Любовь

— Любимый, скоро наша свадьба! Как романтично! Мы будем жить вместе дружно и весело. Ты будешь дарить мне цветы, а я буду встречать тебя вечером дома... Мы будем вместе путешествовать.

— А кто будет готовить? Я люблю есть!

— Готовить?! Я не буду! Готовить я не люблю. Мы будем ходить в ресторан.

— Каждый день ходить в ресторан?! А кто будет зарабатывать деньги?

— Ну что ты начинаешь... Ладно, я буду учиться готовить. Я же тебя люблю!

WB07

Задание 3

Соседи

Три студента хотят арендовать одну квартиру и жить вместе. Так намного дешевле и веселее. Есть только одна проблема: кто что будет делать.

Томас мечтает, что будет играть на гитаре и спать до обеда.

Ли Юнь мечтает, что будет весь день тихо учиться, а ночью спокойно спать.

Арни — бодибилдер и мечтает, что дома он будет активно тренироваться, много спать и есть 6 раз в день.

Урок 45

WB08

Задание 5

Меня зовут Ольга. Говорят, у меня трудный характер. Может быть, не знаю. Например, мне нравится весна, но не нравится дождь. Мне нравится ездить на машине, но не нравится, когда много машин. Мне нравится путешествовать, но не нравятся визы, паспортный контроль и когда много туристов. Мне в принципе нравится готовить, но не нравится готовить каждый день. И ещё мне нравится фитнес, но не нравится уставать на тренировке.

Мой муж говорит, что это нелогично. А я думаю, что это нормально! Например, Игорь любит меня, но ему не всегда нравится мой характер...

Урок 46

WB09
Задание 4

Сколько человеку нужно?

Сколько раз философы, политики, экономисты, революционеры и простые люди задавали этот вопрос: что человеку нужно? И сколько?

Сегодня у нас есть ответы на этот вопрос. Медицина отвечает так: нам нужна гигиена, нужен спорт, нужны витамины, нельзя курить и принимать наркотики, нельзя пить много алкоголя. Людям надо есть натуральные продукты — и не слишком много!

Психологи говорят, что людям нужен оптимизм, нужна работа и нужно время для отдыха. Нам нужны хорошие друзья и позитивные эмоции. А ещё надо стараться жить активно и интересно!

Каждый человек скажет, что ему нужны деньги и здоровье. Но когда мы говорим о качестве жизни, мы слышим, что людям нужны социальные гарантии! Нам нужны хорошая медицина и безопасность, нужно бесплатное образование и, конечно, нужны большие пенсии. Все люди хотят иметь достаточно высокий материальный уровень жизни. А ещё люди часто говорят, что им нужна свобода!

Всё это хорошо, но нельзя забывать, что мы продукт эволюции, поэтому нам нужны не только гарантии и комфорт. Трудности делают нас сильнее! Может быть, человеку нельзя жить без стресса, проблем и конкуренции? Может быть, поэтому в странах, где комфортная и стабильная жизнь, люди так любят риск и экстрим?

Урок 48

WB10
Задание 2

1. Закройте окно, мне холодно!
2. Откройте дверь! Я хочу домой.
3. Выключите музыку! Уже ночь!
4. Покажите, пожалуйста, матрёшки!

5. Помогите! Я не умею плавать.
6. Скажите, пожалуйста, где Эрмитаж?
7. Купите мне собаку! Я её люблю.
8. Покажите, пожалуйста, меню!
9. Подождите меня! Я уже бегу!
10. Говорите только по-русски!

WB11
Задание 4

Диалог 1

— Покажите, пожалуйста, этот телефон! Он китайский?
— Сейчас всё китайское, а он — корейский!

Диалог 2

— Скажите, пожалуйста, где здесь метро?
— Метро?.. Здесь нет метро.

Диалог 3

— Дайте, пожалуйста, меню!
— У нас нет меню. Мы приготовим всё, что вы хотите!

Диалог 4

— Возьмите, пожалуйста, чек и сдачу!
— Спасибо, сдачи не надо!

Диалог 5

— Посмотри, что я купила!
— Что это? Карнавальный костюм?
— Почему карнавальный? Просто красивый...

Диалог 6

— Алло! Говорите громче, я вас плохо слышу!
— Плохо слышите? Хорошо, тогда лучше перезвоните!

Диалог 7

— Подождите меня! Я забыл багаж!
— Не кричите, поезд не может ждать!

Диалог 8

— Вот моя гостиница! Остановите здесь, пожалуйста!
— Извините, здесь нельзя. Вот здесь можно! С вас 500 рублей. Хорошего дня!

WB12
Задание 5

Советы иностранцам в России

1. Скажите, что вы любите русскую культуру, и все вас будут любить!

2. Не ешьте хот-доги, лучше попробуйте русскую кухню!

3. Не пейте пиво после водки!

4. Если хотите подарить цветы, дарите 3, 5 или 7. Не дарите людям 2 или 4.

5. Если вы сидите в транспорте и видите женщину, ребёнка или старого человека, встаньте. Это традиция!

6. Когда вы едете в Россию, возьмите тёплую одежду: может быть холодно!

7. Не свистите в доме: русские думают, что, если свистеть, в доме не будет денег.

8. Не ешьте мороженое на улице зимой!

9. Говорите больше об истории, литературе, политике, философии, религии: русские любят интересные и информативные дискуссии!

10. Не играйте в русскую рулетку!

Урок 49

WB13

Задание 3

Все люди разные: у нас разный возраст, разные профессии, разные идеи и вкусы.

1. Консерваторы хотят, чтобы всё было по-старому.

2. Молодые люди не хотят, чтобы все учили их жить.

3. Моя собака хочет, чтобы мы гуляли 5 раз в день.

4. Писатели хотят, чтобы все читали их книги и не критиковали.

5. Врачи хотят, чтобы люди принимали витамины, не курили, меньше работали и больше спали.

6. Учителя мечтают, чтобы дети любили ходить в школу, больше читали, больше знали и меньше сидели в телефоне.

7. Дети мечтают, чтобы родители их не ругали, всё им покупали и чтобы у них было много друзей.

8. Взрослые хотят, чтобы зарплата была выше, а цены были ниже и чтобы их дети были здоровые и хорошо учились.

9. Эгоисты мечтают, чтобы всё было, как они хотят.

10. Туристы хотят, чтобы погода была хорошая и чтобы всё было красиво и недорого.

11. А ещё все хотят, чтобы их любили и понимали.

Урок 52

WB14

Задание 6

— Не понимаю, как можно было за границей потерять паспорт?! Теперь что делать?

— Пойдём в консульство, они скажут, что делать.

— Подожди, давай попробуем сначала паспорт найти. Ты помнишь, что ты вчера делал?

— Ну конечно! Утром я встал и **пошёл** на завтрак: здесь, в гостинице. После завтрака сразу **пошёл** в Лувр: я слышал, там очереди. Я в Лувре был до обеда, очень понравилось! А из Лувра я **пошёл** в ресторан. Пообедал и **пошёл** гулять, посмотрел Нотр-Дам, выпил кофе и вечером **пошёл** в театр.

— И всё?

— Всё, после театра взял такси и **поехал** в гостиницу.

— Ладно, завтра поедем искать: **пойдём** в Лувр, в ресторан, в театр, а если не найдём, тогда **пойдём** консульство.

— Снова в Лувр? Отличный план!

WB15

Задание 7

Конечно, ходить в университет очень интересно, но все студенты любят каникулы!

Эрика хочет поехать в Италию. В Риме она планирует пойти в Ватикан и посмотреть Колизей. Потом она хочет поехать в Венецию и в Милан. Она любит оперу и мечтает в Милане пойти в театр.

Саймон поедет в Россию, в Санкт-Петербург, пойдёт в Эрмитаж и в Русский музей, потом на поезде поедет в Москву: хочет пойти в Кремль и на балет, а потом он собирается поехать на север, в Архангельск. Может быть, он даже поедет на Соловки — острова в Белом море.

Элиза изучает китайский язык и мечтает на каникулы поехать в Китай. Сейчас она читает книги о Пекине и Шанхае и планирует, куда она хочет пойти.

Урок 31

Задание 3

Текст 1

открываются; закрываются; не закрываются

Текст 2

учиться; учатся; начинаются; заканчиваются; начинается; заканчивается

Задание 4

1. начинается, начинает; 2. меняет, меняешься; 3. встречаемся, встречаю; 4. фотографируешься, фотографирую, фотографировался, фотографировал; 5. тренируюсь, тренирует; 6. закрываются, закрываем; 7. собираешь, собираешься; 8. заканчиваем, заканчивается

Задание 8

Улыбка: улыбаются, не улыбаются, улыбаемся, смеёмся, улыбаемся
Виртуальный мир: встречаемся, общаемся

Задание 11

• ездят на велосипеде; катаются на велосипеде; катаемся на велосипеде
• кататься на горных лыжах и сноуборде;
• ездили на лошадях; кататься на лошади; кататься на лошади
• катаются на коньках; играть в хоккей; катаемся; кататься на роликах

Урок 32

Задание 1

диплом университета; паспорт туриста; номер телефона; центр города; чемпионат мира; деньги клиента; ПИН-код карты; директор фирмы; опыт работы; адрес гостиницы; рейтинг фильма; президент России

Задание 2

Microsoft Билла Гейтса; автомат Калашникова; «Тесла» Илона Маска; мультфильм Уолта Диснея; шляпка королевы Елизаветы; «Реквием» Моцарта; таблица Менделеева; картина «Танец» Матисса

Задание 3

бутылка кока-колы / воды; литр сока; бокал вина; чашка чая; килограмм картошки / сыра; кусок торта / сыра / пиццы

Урок 33

Задание 1

один кот — два кота; одна собака — две собаки; одна картина — две картины; один ключ — два ключа; один рубль — два рубля; одно место — два места; один доллар — два доллара; одна минута — две минуты

Задание 2

1) 3 месяца, 3 слова; 2) 42 километра, 3 километра; 3) 32 метра, 4 человека; 4) 2 пиццы, 4 пива; 5) 4 ребёнка, 2 дочки, 2 сына; 6) 33 года, 2 тысячи

Задание 3

одежда для работы; сумка для ноутбука; комната для отдыха; обувь для спорта; сумка для кошки; место для велосипеда; одежда для собаки; вилка для десерта; шапка для сауны

Задание 5

1. без стресса; 2. после обеда; 3. для мужа, для жены; 4. без собаки; 5. у миллионера; 6. без воды нет жизни, без любви нет счастья; 7. после университета; 8. без паники; 9. с работы, из школы

Задание 7

чтобы жить; для дома; для бизнеса; чтобы отдыхать; для спорта; чтобы спать; для жизни; чтобы учиться

Урок 34

Задание 6

Финляндии; из стекла, нет телевизора; у гостя; нет душа; от номера; Стокгольма, столицы Швеции, самолёта, нет душа, туалета, пилота;

Швеции, из снега, три кровати, нет снега, с декабря до апреля, 4 градуса, нет душа, туалета, отеля;

Англии, у отеля, 4 вагона, из транспорта; для любителя автотранспорта, из «фольксвагена», из «мерседеса», гаража; отеля, 3 номера, нет душа, из номера, до горизонта

Задание 7

Алекс продаёт свою машину. Денис покупает его машину.

Художник рисует её портрет. Марк смотрит на свой портрет.

Дмитрий строит свой дом. Они строят его дом.

Бабушка ищет свои очки. Вся семья ищет её очки.

Задание 8

1. свою, их; 2. свои, их, свои; 3. свои, его, его; 4. свой, свою, его; 5. свои, её; 6. их, свои; 7. своё, его; 8. свою, его

Урок 35

Задание 1

Летать на самолёте / на ракете / на космическом корабле

Плавать на лодке / на корабле / на яхте

Задание 5

Из Аргентины, Германии, Англии, Австралии, Мексики, Израиля, Нидерландов, России, Шотландии, Турции, Бразилии, Бельгии, Франции, Греции, Италии

Задание 6

Из Мадрида, Лондона, Турина, Ливерпуля, Милана, Москвы, Амстердама, Санкт-Петербурга, Рима, Мюнхена, Барселоны

Задание 7

Я ходил в офис на работу / Я был в офисе на работе / Я иду из офиса с работы

Я ездил в Венецию на карнавал / Я был в Венеции на карнавале / Я еду из Венеции с карнавала

Я ходил в спортзал на тренировку / Я был в спортзале на тренировке / Я иду из спортзала с тренировки

Я ходил в университет на экзамен / Я был в университете на экзамене / Я иду из университета с экзамена

Я ездил в Барселону на футбол / Я был в Барселоне на футболе / Я еду из Барселоны с футбола

Я ездил в Индию на свадьбу / Я был в Индии на свадьбе / Я еду из Индии со свадьбы

Урок 36

Задание 1

В мире много: стран, городов, людей, языков, гор;

В городе много/мало: домов, улиц, машин, людей, музеев, школ, собак, парков, ресторанов, велосипедов;

В университете много/мало: студентов, учителей, книг, тестов, компьютеров;

В аэропорту много/мало: самолётов, стюардесс, магазинов, пассажиров, чемоданов;

В музее много/мало: туристов, гидов, картин, скульптур, видеокамер;

В Интернете много/мало: фотографий, книг, фильмов, игр, друзей;

Задание 3

Много / мало / нет: книг, документов, фотографий, фруктов, картин, компьютеров, друзей, денег, сумок, игр, чемоданов, цветов, чашек, сувениров, продуктов, футболок, окон, магнитиков, витаминов, ключей

Задание 4

у детей ... времени; у политиков ... врагов; у политиков ... критиков; у чемпионов ... медалей; у студентов ... денег; у детей ... проблем; у преподавателей ... тестов; у актёров ... ролей; у миллионеров ... друзей; у бюрократов ... талантов; у матрёшек ... «детей»; у мигрантов ... документов

Урок 37

Задание 1

9 999 999 999

Задание 4

3:15 — 3 часа 15 минут
1:25 — час 25 минут
13:31 — час / 13 часов 31 минута
2:02 — 2 часа 2 минуты
20:10 — 8 / 20 часов 10 минут
4:20 — 4 часа 20 минут
18:51 — 6 / 18 часов 51 минута
7:45 — 7 часов 45 минут
21:23 — 9 / 21 час 23 минуты
5:05 — 5 часов 5 минут

Урок 38

Задание 1

чашка зелёного чая; килограмм красной икры; бутылка французского шампанского; стакан апельсинового сока; 500 граммов белых грибов; 3 килограмма тропических фруктов; кусок красной рыбы; бутылка минеральной воды; бутылка оливкового масла; чашка чёрного кофе

Задание 4

Новый год — первого января; День России — двенадцатого июня; старый Новый год — тринадцатого января; День знаний — первого сентября; День Победы — девятого мая; Рождество — седьмого января; Праздник весны и труда — первого мая; День защитника Отечества — двадцать третьего февраля; Международный женский день — восьмого марта

Урок 39

Задание 1

Студенты слушают учителя / преподавателя. Сын не слушает маму. Девушка читает Чехова. Собака встречает хозяина. Хозяин смотрит на собаку. Врачи собирают робота. Люди слушают музыкантов. Мама любит сына / ребёнка.

Таксист слушает / смотрит на пассажира. Кот боится собаку. Собака боится кота.

Задание 4

Я (не) люблю: скорпионов, собак, пауков, акул, жирафов, обезьян, комаров, тараканов, лошадей, волков

Задание 7

Это девушка, которая любит Игоря / которую любит Игорь / у которой есть собака.
Это парень, которого любит Анна / который любит Анну / у которого есть кошка.
Это музыканты, которые хорошо играют / у которых много альбомов / о которых много пишут / которых я люблю слушать.

Задание 8

1. у которого; 2. которого; 3. который;
4. которые; 5. которую; 6. который;
7. в которой; 8. которую

Урок 40

Задание 9

Разный, эмоциональный, конфликтный, агрессивный, романтичный, практичный, нормальный

Урок 41

Задание 2

Виктор: купить, взять, давать, дать, жить, платить
Алекс: купить, получить, сдавать, купить

Задание 3

Девушка хочет закрыть окно. Кот хочет спать. Женщина хочет сделать кофе. Собака хочет играть и гулять. Мальчик хочет купить скейтборд. Мальчик хочет плавать. Человек хочет найти ключи. Дети хотят играть в футбол.

Задание 4

Моя собака всегда хочет есть. Она хочет съесть сосиску. Она не хочет есть лимон. Инга не хочет брать кредит. Она хочет взять кредит в этом банке.

Крис хочет сделать татуировку. Мария Ивановна не хочет делать татуировку. Студенты не хотят сдавать экзамены. Все студенты мечтают сдать экзамен. Бандит хочет открыть дверь. Джейн не хочет открывать дверь. Лиза хочет выучить испанский. Лиза хочет учить испанский в Интернете. Лиза не хочет учить слова.

Задание 5

1. — Уже ночь! Я так хочу спать!
2. — Я устал как собака, можно поспать полчаса?
3. — Есть проблема, надо подумать!
4. — Надо всегда думать, что говоришь.
5. — Ларри любит гулять.
6. — Ты можешь сейчас погулять с Ларри?
7. — Я устала и очень хочу посидеть.
8. — Дети могут сидеть в Интернете весь день.

Задание 6

Как я устал! — жить, вставать, работать, сидеть, взять, пожить
Бизнес или дом на острове? — жить, не думать, продать, купить, жить
Семья? Нет, карьера! — ждать, сделать, жить, не готовить, есть, помогать, построить

Урок 42

Задание 2

1. ели; 2. ел; 3. включал; 4. готовила; 5. спал; 6. покупали

Задание 3

Вставал, не завтракал, открывал, включал, начинал, звонил, писал, думал
Встал, принял, позавтракал, включил, открыл, прочитал, забыл, позвонил, пригласил

Задание 5

Достоевский начал писать книгу «Игрок» 4 октября и закончил писать её 31 октября. Он писал книгу 27 дней.

Олег и Ольга начали ужинать в 19:20 и закончили ужинать в 20:30. Они ужинали 1 час 10 минут.
Маша и Дима начали делать ремонт в августе и закончили делать ремонт в октябре. Они делали ремонт 2 месяца.
Монферран начал строить Исаакиевский собор в 1818, а закончил строить в 1858. Он строил собор 40 лет.

Задание 6

показывал, не завтракал, не обедал, работал, продал, подписал, не получил

Задание 7

6, 4, 1, 3, 2, 5

Задание 10

Вчера Марина готовила шашлыки.
Вчера Марина приготовила шашлыки.
Гости не готовили шашлыки.
Сергей, Света и Аня ели пиццу и чипсы.
Они съели пиццу.
Кот не ел пиццу и чипсы.
Они не съели чипсы.

Задание 11

все сдавали экзамен, не все сдали; сдал теорию, не сдал практику, сдавал практику 2 раза; сдал всё

Урок 43

Задание 1

5, 1, 3, 4, 2, 1, 4

Задание 9

сдам экзамены, получу диплом; буду искать, быстро найду, буду получать; буду работать, буду писать, мечтаю написать, зарабатывать, напишу, смогу; буду работать, буду делать; куплю дом, буду плавать, куплю электромобиль; встретить любовь, где искать, написать, найти; буду жить, смогу

Урок 44

Задание 1

Кому? друзьям, маме, папе, соседям, детям, учителю, девушке жене, мужу, клиентам, директору, коллегам, инспектору, Богу

Задание 2

1. дочке курицу; 2. мужу сына; 3. дочке мужа; 4. Анне мороженое; 5. девушке коктейль; 6. женщинам косметику; 7. собаке еду; 8. жене кофе

Задание 4

1. тебе, мне; 2. ей, ей; 3. вам, мне, ему; 4. ему, ему

Урок 45

Задание 1

Он плохой. Ему плохо.
Она трудная. Ей очень трудно.
Она интересная. Ей интересно.
Он скучный. Ему скучно.
Они неудобные. Им неудобно.
Она страшная. Ей страшно.

Задание 2

1. мне; 2. нам; 3. профессору; 4. маме; 5. детям; 6. мне; 7. туристам; 8. всем; 9. всем, кому

Урок 46

Задание 1

1. он хочет, ему надо; 2. мне надо, я не хочу; 3. мне 18 лет, мне можно, я не могу; 4. ей нужно, ей нельзя, она не хочет; 5. он думает, он может, ему нельзя

Задание 4

у нас, всем, мужчинам, женщинам, женщина, ей, всем, никому, всем, детям и женщинам, мужчинам, им, нас, вас, у женщины, ей, у мужчины, ему, собакам, животным, детям

Задание 6

1. нужна свобода, нужны клубы, нужна работа; 2. нужна любовь, нужен контроль, нужны деньги; 3. нужен футбол, нужно мясо, нужны комплименты; 4. нужна диета, нужна карьера, нужны дети; 5. нужна популярность, нужны деньги, нужна оппозиция; 6. нужны фанаты, нужно здоровье, нужен допинг

Урок 47

Задание 1

1. Я ходил в фитнес-клуб к инструктору. Я был в фитнес-клубе у инструктора. Я иду из фитнес-клуба от инструктора.
2. Я ездил в Ватикан к папе. Я был в Ватикане у папы. Я еду из Ватикана от папы.
3. Я ездил в Лондон к королеве. Я был в Лондоне у королевы. Я еду из Лондона от королевы.
4. Я ходил на консультацию к адвокату. Я был на консультации у адвоката. Я иду с консультации от адвоката.
5. Я ходил на встречу к партнёрам. Я был на встрече у партнёров. Я иду со встречи от партнёров.
6. Я ездил в Польшу к друзьям. Я был в Польше у друзей. Я еду из Польши от друзей.

Задание 3

1. звоните друзьям, идёте к психологу; 2. сказать коллегам, идти к директору; 3. ходить к друзьям, звонить им; 4. писать клиентам, ездить к клиентам

Урок 48

Задание 1

Покажите, смотрите / слушай, посоветуй, думай, давай / подождите, приходи / послушай, извини, позвони / скажите, попробуйте

Урок 49

Задание 2

Давай поплаваем!
Давай потанцуем!
Давайте искать компромисс!
Давайте ещё погуляем!
Давай поговорим!
Давайте ужинать!

Задание 6

1. контролировали; 2. было; 3. любили и уважали; 4. поняли; 5. были; 6. слушали 7. платили; 8. думали; 9. говорили; 10. думали

Задание 7

был стресс / были враги / была депрессия / было много проблем

Задание 9

1. делали; 2. было; 3. работали; 4. работали, сидели; 5. были; 6. были; 7. делали

Урок 50

Задание 1

Писать: ручкой, карандашом, кровью
Есть: вилкой, ложкой, руками, ножом, палочками
Играть: руками, ногами, головой, попой
Бить: руками, ногами, головой, вилкой
Любить: головой, сердцем, душой, глазами, ушами, руками
Платить: деньгами, картой, золотом, рублями, долларами, жизнью

Задание 3

1. с вами; 2. с ним; 3. с нами; 4. с тобой; 5. с ними; 6. со мной

Задание 4

чай с лимоном; салат с моцареллой; пирог с яблоками; блины с мясом; кофе с молоком; спагетти с сыром; пицца с морепродуктами; сосиски с кетчупом; мороженое с фруктами

Задание 9

Быть кошкой, птицей, деревом, ребёнком / Стать художником, таксистом, женой
Быть мужчиной, женщиной, родителями / Стать чемпионом, миллионером, звездой

Урок 51

Задание 1

1. Каким спортом; 2. С какими странами; 3. С какими соседями; 4. С какими людьми; 5. С какой женщиной; 6. С каким мужчиной; 7. С какими животными

Задание 2

1. (не) должен; 2. (не) должен; 3. (не) должны; 4. (не) должны; 5. (не) должны; 6. (не) должны; 7. (не) должны; 8. (не) должны; 9. (не) должен; 10. (не) должна; 11. (не) должны; 12. (не) должны; 13. (не) должны

Задание 5

11

Урок 52

Задание 3

1. Они пошли в школу.
2. Он поехал в Москву.
3. Она пошла в бассейн.
4. Она пошла в университет.
5. Он поехал в Женеву.
6. Они пошли домой.
7. Они поехали в Америку.

Задание 4

Ричард хочет сначала пойти на футбол, а потом он хочет пойти в бар.
Даниела хочет сначала пойти на йогу, а потом пойти на концерт Брамса.
Майкл и Барбара хотят сначала вместе пойти на пляж, потом на танго, а потом они хотят пойти домой.

Задание 6

Завтра утром Влад пойдёт на работу, потом он пойдёт на фитнес, потом в бар, а потом пойдёт домой отдыхать.

Даша утром пойдёт в офис на работу, потом она пойдёт в супермаркет, а потом пойдёт домой ужинать и отдыхать.

Алиса и Лиза завтра утром сначала пойдут в университет, потом они пойдут обедать в кафе, а потом пойдут домой.

Урок 53

Задание 1

1. не выходили; 2. уйду; 3. прилетаешь;
4. уехать / переехать; 5. влетела, вылететь;
6. заехать; 7. выходить; 8. уехать / переехать

Задание 3

1. пришла; 2. выйти; 3. зайти, зайду;
4. въехал; 5. уходить; 6. въехать; 7. выйти;
8. пришёл; 9. приехал; 10. ушёл

Урок 54

Задание 2

с кем? для кого? к кому? над кем? от кого?
о ком? без кого? для чего? с чем? без чего?
о чём? над чем?

Задание 3

кто? кого? кем?
кого? кому? о ком?
кто? кому? о ком?
кого? кем? у кого?
кто? кем? кого?
кому? для кого? о ком?

Задание 4

m.: какой? какому? какого? в каком? с каким?
f.: какая? какой? какую?
pl.: какие? каких? каким? какими?

Задание 5

где — в Европе
когда — в среду
как — быстро
кому — другу
какую — новую
о чём — о спорте
у кого — у меня
с кем — с братом
к кому — к врачу
куда — в Америку
сколько — 2 часа
кто — туристка
какая — большая
чего — денег
кем — инженером
о ком — обо мне
откуда — с концерта
для чего — для работы
откуда — из Африки
во сколько — в 3 часа
чей — твой
с чем — с сыром
чью — мою
зачем — чтобы жить
кого — людей
от кого — от друга
над чем — над домом

Задание 7

много где — во многих странах;
много куда — во многие страны;
мало кого — мало людей;
много кому — многим людям;
много у кого — у многих людей;
много с кем — со многими людьми;
много чего — много вещей;
много о чём — о многих вещах

Задание 10

никуда, ниоткуда, ни на чём, никак, никому, ничем, ни о чём, ни с кем, ни для чего, ни в каком, ни у кого, нигде, ни из какой, ни в каких, ни к кому, никаким, ни о какой

Урок 31

Задание 3

1. закрывается, закрываете; 2. открывают, не открывается; 3. фотографировать, фотографироваться; 4. тренируются, тренирую; 5. учит, учатся; 6. встречаю, встречаемся; 7. начинаю, начинается; 8. заканчиваем, заканчивается

Задание 5

1. стараюсь; 2. улыбаются, смеются; 3. боятся, не боюсь; 4. общаемся; 5. смеётесь; 6. надеюсь; 7. улыбаюсь, фотографируюсь

Урок 32

Задание 1

номер дома, диплом Гарварда, центр города, рейтинг отеля, столица Индии, меню ресторана, адрес банка, книга Чехова, флаг Америки, музыка Баха, карта Европы, автор книги, директор компании, реклама йогурта

Задание 2

1. Это самолёт президента. 2. Это фотография девушки 3. Это поэма Александра Пушкина. 3. Это музыка Бетховена. 4. Это деньги инвестора. 5. Это письмо клиента. 6. Это вопрос журналиста. 7. Это билет пассажира. 8. Это интервью спортсменки. 9. Это скелет динозавра.

Задание 3

кусок торта, бокал пива, кусок пиццы, чашка чая, стакан воды, чашка кофе, кусок колбасы, кусок мяса, литр сока, кусок сыра, тарелка супа, бутылка молока, кусок рыбы, килограмм клубники

Урок 33

Задание 1

1) две машины, две жены, два мужа; 2) два литра; 3) два месяца, семьдесят два килограмма, 54 килограмма; 4) 3 головы, 3 раза; 5) 3 минуты; 6) 24 часа

Задание 2

1. без телевизора, без Интернета; 2. без визы, без паспорта; 3. после работы; 4. для бизнеса; 5. для спорта; 6. после работы; 7. у музыканта нет таланта; 8. у профессора, для экзамена, у студента, для профессора

Задание 5

1. чтобы работать, для отдыха; 2. для собаки, чтобы гулять; 3. для бизнеса, чтобы инвестировать; 4. для собаки, чтобы путешествовать; 5. чтобы зарабатывать, для страны; 6. для паники, чтобы не паниковать; 7. чтобы работать, для компании; 8. для пиццы, чтобы готовить, для вечеринки

Задание 6

От школы, до экватора, 132 километра; 4 класса; нет библиотеки, спортзала, кафе, бассейна, 3 кошки, 2 собаки; нет электричества; у меня

Урок 34

Задание 1

У меня был мотоцикл, была гитара, было время, была машина, был велосипед, была свадьба.
У меня не было мотоцикла, гитары, времени, машины, велосипеда, свадьбы.

Задание 4

У меня не было денег, одежды, учителя, времени, интереса, телефона, визы, билета.

Задание 7

1. его, свою, его; 2. её, её, свою; 3. свои, их; 4. свои, их, их, свои; 5. о своей, о его; 6. свой, его; 7. свой, свою, его; 8. его, о своих, их, об их, о своих; 9. его, его, свою; 10. свои, их, их, свои

Урок 35

Задание 3

1. идёте, ходим; 2. летишь, летаю; 3. плавает, плавает, плывёт; 4. ездим, едете; 5. плывём,

плавали; 6. летает, летит; 7. ездить, еду;
8. летишь, летал/а, лечу; 9. бегаешь, бегу;
10. ездили, едем

Задание 4

Я был в Вене на опере. Я еду из Вены с
оперы. Я ездил в Вену на оперу.
Я был в Ватикане на экскурсии. Я еду из
Ватикана с экскурсии. Я ездил в Ватикан
на экскурсию.
Я был в ресторане на встрече. Я иду из ресторана со встречи. Я ходил в ресторан на
встречу.
Я был в Греции на острове. Я еду из Греции
с острова. Я ездил в Грецию на остров.

Задание 5

1. Мы летим на самолёте из Мюнхена в
Бангкок. 2. Я еду на поезде из Москвы в
Иркутск. 3. Ольга летит на самолёте из
Лос-Анджелеса в Вену. 4. Игорь и Ольга
едут на автобусе из Таллина в Ригу. 5. Джу-
лия плывёт на корабле из Флориды на
Барбадос. 6. Вы едете на поезде из Киева в
Москву. 7. Папа летит на самолёте из Рима в
Боготу. 8. Ты едешь на велосипеде из Бер-
лина в Прагу. 9. Туристы едут на электрич-
ке из Петербурга в Гатчину. 10. Я лечу на
самолёте из Лондона в Осаку.

Урок 36

Задание 1

Много: студентов, туристов, клубов, документов, городов, долларов, километров
Много: гостиниц, машин, проблем, стран,
мест, собак, слов
Много: отелей, рублей, новостей, гостей,
друзей, людей, детей

Задание 2

1. много ресурсов, мало людей; 2. много
политиков, бизнесменов, банков, ресторанов, театров, университетов, машин,
денег; 3. много музеев, театров, рек, ка-
налов, мостов, туристов; 4. много картин,
скульптур, ваз, туристов, кошек; 5. много
гор, гостиниц, туристов, спортсменов, ресторанов, баров; 6. много профессоров,
преподавателей, лекций, книг, студентов,
студенток; 7. много фабрик, заводов, людей, мало детей; 8. много стран, людей, де-

тей, мало университетов, школ, больниц,
денег; 9. нет гостиниц, баров, магазинов,
музеев, виз, детей, мало людей, туристов,
много планет; 10. много машин, автобусов,
велосипедов, домов, магазинов, мало собак, кошек, нет танков, медведей

Урок 37

Задание 1

4 / 53 / 1322 рубля, йены, доллара
12 / 48 / 4878 рублей, йен, долларов
681 рубль, йена, доллар

Задание 2

1. километров, Америки, Китая, раза, России; 2. Москвы, Владивостока, километров,
городов, рек; 3. Америки, России, километра; 4. стран; 5. поездов, секунд; 6. процентов, раз; 7. языков; 8. жителей

Задание 3

21:12 — двадцать один час двенадцать минут

07:30 — семь часов тридцать минут

01:48 — час сорок восемь минут

17:02 — семнадцать часов две минуты

03:04 — три часа четыре минуты

22:31 — двадцать два часа тридцать одна
минута

11:57 — одиннадцать часов пятьдесят семь
минут

02:35 — два часа тридцать пять минут

Задание 4

1. раз, сестры; 2. братьев и сестёр; 3. сестры,
брата, человек; 4. раз, звёзд; 5. человек,
стульев; 6. человека, раза; 7. человек, сту-
ла, человек, стульев; 8. звезды, звёзд

Задание 5

три килограмма яблок; две курицы; один
килограмм мяса; три бутылки молока;
десять йогуртов

восемь сосисок; три сникерса; шесть
бананов; четыре пива

десять салатов «Оливье»; пятнадцать
салатов из овощей; четырнадцать
шашлыков; восемь котлет по-киевски; три
лазаньи; двадцать десертов; двенадцать
бутылок вина; десять литров лимонада;
двадцать бутылок воды

одна бутылка молока, один хлеб, один килограмм картошки

Урок 38

Задание 1

стакан томатного сока; тарелка грибного супа; бутылка холодной воды; бутылка итальянского вина; килограмм швейцарского сыра, килограмм зелёных яблок, кусок чёрного хлеба

Задание 2

Много / мало / нет
умных студентов, толстых книг, трудных экзаменов, красивых девушек; больших чемоданов, красивых стюардесс, дорогих ресторанов; высоких домов, дорогих машин, разных магазинов, чистого воздуха; разных блюд, хорошей еды, вкусных десертов, больших чаевых; красивых кораллов, опасных рыб, больших кораблей, счастливых туристов; богатых стран, счастливых людей, чистой воды, красивых животных

Задание 3

1. Северной Америки; 2. с Северного полюса; 3. из Арабских Эмиратов; 4. из Центральной Азии; 5. из Великого Новгорода; 6. из Красного моря; 7. с Дальнего Востока; 8. Латинской Америки

Задание 4

06.01.1896 — шестого января тысяча восемьсот девяносто шестого года
12.04.1961 — двенадцатого апреля тысяча девятьсот шестьдесят первого года
20.07.1969 — двадцатого июля тысяча девятьсот шестьдесят девятого года
30.11.1872 — тридцатого ноября тысяча восемьсот семьдесят второго года
10.03.1876 — десятого марта тысяча восемьсот семьдесят шестого года
06.08.1991 — шестого августа тысяча девятьсот девяносто первого года

Задание 5

«Идиот» — роман Достоевского
«Анна Каренина» — роман Толстого
«Евгений Онегин» — роман Пушкина

«Хорошо!» — поэма Маяковского
«Лебединое озеро» — балет Чайковского
«Композиция VIII» — картина Кандинского
«Поэма без героя» — поэма Ахматовой
«Картинки с выставки» — музыка Мусоргского
«Зеркало» — фильм Тарковского
«Три сестры» — драма Чехова
«Мастер и Маргарита» — роман Булгакова

Урок 39

Задание 1

детей; гида; тигра; скорпиона

Задание 2

1. Гарри Поттера; 2. Михаила Горбачёва; 3. Альберта Эйнштейна; 4. кого, кошек, собак; 5. соседей; 6. жену, мужа; 7. гостей; 8. крокодила; 9. повара; 10. студенток, студентов; 11. туристов; 12. эту книгу, автора

Задание 4

1. ждёт; 2. ждала; 3. ждёте; 4. ждал/а; 5. ждал; 6. ждёт; 7. ждут; 8. ждут; 9. ждёте; 10. ждёт, ждут; 11. ждёте, ждут

Задание 6

У меня есть книга, о которой / которую / которой / которая
Это фильм, который / о котором / который

Задание 8

которые, у которого, который, в которой, которые, которые, у которых, которые, у которого, для которого, который, у которого, который, которую

Урок 40

Задание 1

1. умнее; 2. активнее; 3. интереснее; 4. труднее; 5. приятнее; 6. вкуснее; 7. важнее; 8. популярнее

Задание 4

1. дороже; 2. старше; 3. больше; 4. меньше; 5. дальше; 6. легче; 7. дешевле; 8. раньше; 9. хуже

Урок 41

Задание 3

1. готовить, приготовить; 2. жить, работать; 3. тратить, потратить; 4. продать, купить; 5. купить, снимать; 6. открыть, продавать

Задание 4

1. приготовить; 2. готовить; 3. прочитать; 4. читать; 5. пригласить; 6. приглашать; 7. пить; 8. выпить; 9. пить

Задание 5

1. дарить, получать; 2. играть, проиграть; 3. тратить, потратить; 4. купить, играть; 5. выучить, учить; 6. есть, гулять; 7. купить, продать; 8. сдавать, получить; 9. получить, сделать, купить

Задание 6

1. жить, пожить; 2. поговорить, говорить; 3. плавать, поплавать; 4. поспать, спать; 5. погулять, гулять; 6. работать, работать, поработать; 7. спать, лежать; 8. сидеть

Урок 42

Задание 1

1. читал, прочитал; 2. готовил, приготовил; 3. построил, строил; 4. рисовал, нарисовал; 5. продавал, продал; 6. делал, сделал; 7. ели, съел; 8. выбирал/а, выбрал/а; 9. учил/а, выучил/а; 10. приготовил/а, готовил/а; 11. строил/а, построил/а; 12. сделали, делали

Задание 2

1. получал, получил; 2. вставал, встал; 3. купил, покупал; 4. съел, ел; 5. улыбался, улыбнулся; 6. рисовал, нарисовал; 7. прочитал, читал; 8. уставал, устал

Задание 3

1. посмотрела; 2. смотрела; 3. потанцевала; 4. танцевала; 5. готовила; 6. приготовила; 7. взял; 8. брал; 9. сдавали; 10. сдали; 11. открыла; 12. открывала; 13. погуляли; 14. гуляли

Задание 4

Гости ели ужин. Гости съели ужин.
Саша строил дом и баню. Он построил дом. Саша не строил гараж. Саша ещё не построил баню.
Андреа читала «Войну и мир». Она наконец прочитала. Он читал «Войну и мир», но не прочитал. Элиза не читала.
Лукас сдавал экзамен. Лаура тоже сдавала экзамен. Лукас хорошо сдал. Лаура не сдала. Петер не сдавал.
Туристы покупали сувениры. Мэри купила матрёшки. Гид не покупал. Томас не купил ничего.
В Вавилоне строили. В Вавилоне не построили.
В Австралии не строили. В Париже построили.

Урок 43

Задание 5

1. скажу; 2. съем, съедим; 3. найду; 4. посмотрю; 5. сделаем; 6. дам, дашь, возьму; 7. включу, станет; 8. продам, куплю; 9. встану, не смогу; 10. напишу, позвоню

Урок 44

Задание 1

1. Каким — иностранным; 2. Какому — глупому; 3. Каким — креативным; 4. Какому — семейному; 5. Какой — популярной; 6. Каким — старым; 7. Какой — новой; 8. Каким — классическим

Задание 3

1. клиентам; 2. Татьяне; 3. Владимиру, Кате; 4. профессору; 5. туристам, друзьям; 6. спортсмену; 7. Анне, Антону; 8. Игорю, официантке; 9. друзьям; 10. жене, мужу

Задание 4

1. жене розы; 2. коллеге документы; 3. клиентам кредиты; 4. людям все; 5. собаку Мартину; 6. детям деньги; 7. диеты спортсменам; 8. дочке кошку

Ключи к рабочей тетради

Урок 45

Задание 2

1. мы, нам; 2. мне, я; 3. грамматика, вам; 4. им, они; 5. вы, вам; 6. вы, вам

Задание 3

Дети любят школу и каникулы. Детям нравится школа и нравятся каникулы. Работники любят зарплату и отпуск. Работникам нравится зарплата и отпуск. Таксист любит пассажиров и деньги. Таксистам нравятся пассажиры и деньги. Спортсмен любит Олимпиаду и медали. Спортсмену нравится Олимпиада и нравятся медали. Девушки любят косметику и комплименты. Девушкам нравится косметика и нравятся комплименты. Студенты любят университет и вечеринки. Студентам нравится университет и нравятся вечеринки. Туристы любят сувениры и визы. Туристам нравятся сувениры и визы.
Государство любит народ и налоги. Государству нравится народ и нравятся налоги. Кошка любит дом и еду. Кошке нравится дом и еда. Собака любит хозяина и детей. Собаке нравится хозяин и нравятся дети. Учитель любит студентов и тесты. Учителю нравятся студенты и тесты.

Задание 4

1. Что мне делать? 2. Какой фильм ей посмотреть? 3. Как нам жить? 4. Как ему платить? 5. Где им жить? 6. Кому мне позвонить? 7. Что ему изучать? 8. Куда нам идти? 9. Кого её спросить? 10. На чём им ехать?

Урок 46

Задание 2

1. Я, мне; 2. вы, вам; 3. им; 4. туристам, им; 5. ты, мне; 6. мне, мне; 7. людям, всем; 8. людям, собакам; 9. европейцам, вам; 10. я, всем, кому

Урок 47

Задание 1

1. Я ходил в клинику к врачу. Я был в клинике у врача. Я иду из клиники от врача.
2. Я ездил в Ригу к брату. Я был в Риге у брата. Я еду из Риги от брата. 3. Я ездил в Вашингтон к президенту. Я был в Вашингтоне у президента. Я еду из Вашингтона от президента. 4. Я ходил в офис к клиентам. Я был в офисе у клиентов. Я иду из офиса от клиентов. 5. Я ездил в Гарвард к профессору. Я был в Гарварде у профессора. Я еду из Гарварда от профессора. 6. Я ездил в столицу к директору. Я был в столице у директора. Я еду из столицы от директора.

Задание 3

1. кому — жене; 2. к кому — к адвокату; 3. к кому — к друзьям; 4. кому — детям; 5. к кому — к друзьям; 6. кому — Татьяне; 7. к кому — к инвесторам; 8. кому — инвесторам; 9. кому — профессору; 10. к кому — к профессору

Урок 48

Задание 1

передай/те, напиши/те, прочитай/те, позвони/те, скажи/те, расскажи/те, подожди/те, купи/те, спроси/те, попробуй/те, закрой/те, включи/те, покажи/те

Задание 3

Не помогайте ему! Не показывайте паспорт! Не рассказывайте правду! Не включайте телевизор! Не выключайте свет! Не открывайте окно! Не закрывайте дверь! Не звоните завтра! Не пишите комментарий! Не смотрите новости! Не приглашайте гостей! Не спрашивайте меня! Не просите деньги! Не отвечайте на вопрос! Не берите кредит! Не ждите меня! Не давайте мне диплом!

Урок 49

Задание 1

1. Давайте работать. 2. Давайте говорить только по-русски. 3. Давайте скажем спасибо учителю. 4. Давайте потанцуем. 5. Давайте закажем пиццу. 6. Давайте смотреть русские фильмы. 7. Давайте смотреть на жизнь позитивно. 8. Давайте напишем тест. 9. Давайте сегодня отдыхать. 10. Давайте

сделаем перерыв. 11. Давайте спать. 12. Давайте пойдём домой.

Задание 4

1. играть, встречала; 2. понимать, понимали; 3. уважали, учиться; 4. сделать, сделали; 5. видели, смотреть; 6. учились, знать; 7. заработать, не говорила

Урок 50

Задание 1

чай с лимоном; чай без лимона; кофе с сахаром; кофе без сахара; пицца с колбасой; пицца без колбасы; мясо с кетчупом; мясо без кетчупа; борщ со сметаной;. борщ без сметаны; вода с газом; вода без газа

Задание 2

1. с ним; 2. со мной; 3. с тобой; 4. с нами; 5. с ней; 6. с ними

Задание 3

ложкой, вилкой и ножом; руками, палочками; суши; палочками; руками

Задание 4

1. спортом, фитнес-инструктором; 2. буддизмом, йогой, медитацией; 3. наукой, профессором; 4. бизнесом; 5. балетом; 6. чем; 7. машинами, пилотом; 8. языками, грамматикой; 9. экономикой, деньгами; 10. футболом; 11. искусством; 12. чем

Задание 5

пирог — 4, лазанья — 2, борщ — 7, суши — 8, пельмени — 1, гамбургер — 3, блины — 5, такос — 6

Урок 51

Задание 1

1. какой; 2. кем; 3. кем; 4. каким; 5. кем; 6. с кем; 7. какой; 8. какими

Задание 2

1. каким спортом; 2. с какими странами; 3. с какими соседями; 4. с какими людьми;

5. с какой женщиной; 6. с каким мужчиной; 7. с какими животными; 8. над какими странами и океанами

Урок 52

Задание 3

Вчера Николай сначала пошёл в банк на работу, с работы он пошёл на теннис, после тенниса в ресторан, а после ресторана он пошёл домой.

Завтра утром Николай пойдёт в банк на работу, потом он пойдёт на теннис, после тенниса в ресторан, а потом пойдёт домой отдыхать.

Вчера Инга сначала пошла в школу, из школы она пошла в кафе, после кафе она пошла в кино, а потом она пошла домой.

Завтра утром Инга сначала пойдёт в школу, из школы она пойдёт в кафе, после кафе она пойдёт в кино, а потом она пойдёт домой.

Вчера туристы сначала пошли в музей, после музея они пошли в кафе на обед, после обеда они пошли на экскурсию по городу, после экскурсии они пошли в сувенирный магазин, из сувенирного магазина они пошли на ужин в ресторан, после ужина они пошли на концерт, после концерта они пошли в бар, а из бара они пошли в гостиницу.

Завтра туристы сначала пойдут в музей, после музея они пойдут в кафе на обед, после обеда они пойдут на экскурсию по городу, после экскурсии они пойдут в сувенирный магазин, из сувенирного магазина они пойдут на ужин в ресторан, после ужина они пойдут на концерт, после концерта они пойдут в бар, а из бара они пойдут в гостиницу.

Роберт сначала поедет в Россию, из России он поедет в Казахстан, из Казахстана поедет в Узбекистан, из Узбекистана поедет в Туркменистан, а из Туркменистана он поедет в Англию, домой.

Роберт ездил в Россию, Казахстан, Узбекистан и Туркменистан.

Роберт сначала поехал в Россию, из России он поехал в Казахстан, из Казахстана поехал в Узбекистан, из Узбекистана поехал в Туркменистан, а из Туркменистана он поехал в Англию, домой.

Жан-Пьер и Катрин сначала поедут в Ливию, из Ливии она поедут в Сирию, после Сирии они поедут в Ирак, из Ирака поедут в Турцию, а из Турции они поедут домой во Францию.

Жан-Пьер и Катрин ездили в Сирию, Ливию, Турцию и Ирак.

Они сначала поехали в Ливию, из Ливии она поехали в Сирию, после Сирии они поехали в Ирак, из Ирака поехали в Турцию, а из Турции они поехали домой во Францию.

Элиза поедет в Москву, из Москвы она поедет в Ярославль, из Ярославля она поедет в Великий Новгород, после Великого Новгорода она поедет в Псков, из Пскова она поедет в Санкт-Петербург, а из Санкт-Петербурга Элиза поедет домой в Норвегию.

Элиза ездила в Москву, в Санкт-Петербург, в Ярославль, в псков и в Великий Новгород.

Она поехала в Москву, из Москвы она поехала в Ярославль, из Ярославля она поехала в Великий Новгород, после Великого Новгорода она поехала в Псков, из Пскова она поехала в Санкт-Петербург, а из Санкт-Петербурга Элиза поехала домой в Норвегию.

Задание 4

1. Он пошёл на работу. 2. Она пошла в кафе. 3. Он поехал в Китай. 4. Он пошёл в банк. 5. Они поехали в Финляндию. 6. Он пошёл / поехал на рыбалку. 7. Она пошла на концерт. 8. Он поехал в командировку.

Задание 5

1. поехал, ехал; 2. пошли, шли; 3. поехали, ехали; 4. поехали, ехали; 5. поехал, ехал; 6. пошли, шли; 7. пошёл, шёл

Урок 53

Задание 1

1. переходите; 2. ушёл / ушла; 3. уходят; 4. уйдёшь; 5. выхожу; 6. въехать; 7. приезжаете; 8. приедет; 9. выхожу; 10. вышел

Задание 2

1. приходят; 2. приходите; 3. приезжают; 4. приехал; 5. придёшь; 6. приходит; 7. пришли; 8. приехали; 9. приезжаю; 10. приходят

Задание 3

1. ушли; 2. уедут; 3. уходите; 4. уезжали, уезжают; 5. уходить; 6. уйдут; 7. ушёл; 8. уедут

Задание 4

1. входите; 2. войдёт; 3. въехал; 4. въехали / въезжаете; 5. вхожу / вошёл/вошла / войду; 6. входить / войти; 7. войти

Задание 5

1. выхожу; 2. выйдем; 3. выехали; 4. вышел / вышла; 5. выедем; 6. выйти; 7. выходим; 8. выходить

Задание 6

1. переходите; 2. переехали; 3. перешли; 4. переехать / перейти; 5. переедут; 6. переехать; 7. переходите; 8. переехать

Задание 7

1. захожу; 2. заедем; 3. зайти; 4. зайти; 5. зашли; 6. заехать; 7. заехать; 8. заехали

Задание 8

4, 3, 1, 8, 7, 5, 2, 6

Источники иллюстраций

http://fcnh.ru/wp-content/uploads/2015/07/%D0%9F%D1%80%D0%B5%D0%B2%D1%8C%D1%8E-
%D0%BD%D0%B0-%D0%BC%D0%B0%D1%82%D1%87-%D0%97%D0%B5%D0%BD%D0%B8%D1%82-
%D0%98%D0%B6%D0%B5%D0%B2%D1%81%D0%BA.jpg
https://oknapanorama.by/ckeditor_assets/pictures/12506/content_11.jpg
http://www.bu.edu/eng/files/2016/04/DSC_0013.jpg
http://www.vplate.ru/images/article/orig/2018/06/rak-i-vodolej-osobennosti-soyuza-20.jpg
http://itd3.mycdn.me/image?id=860461883366&t=20&plc=WEB&tkn=*P3XH4HH9Qv2xpKwYnyyb32yF26c
https://s.poembook.ru/blogpost/ab/6f/41/26774a4e9a55478cf01049db70c860dabce62d5e.jpeg
https://euroradio.fm/sites/default/files/styles/gallery_main/public/legacy_articles/miniatures/2014/02/13-30.
jpg?itok=UvVfHopg
http://www.playcast.ru/uploads/2013/11/01/6458128.jpg
http://svadba.pro/images/photos/medium/060c29ba470f94854ed55523cfd820b7.jpg
http://restoranoved.ru/netcat_template/article_images/31844-1.jpg
https://www.mirea.ru/upload/iblock/eeb/DSC01650.jpg
http://interesnoje.ru/wp-content/uploads/2018/01/safe_image-51.png
http://animaljournal.ru/articles/top/istorii/belka_i_strelka/belka_i_strelka_pervie.jpg
http://i41-cdn.woman.ru/womanru/images/article/6/c/img_6c654b6fbb214eddc613ac0f14999f73_2_1400x1100.
jpg?02
https://aviasovet.ru/blog/wp-content/uploads/2017/06/223.jpg
http://dinohistory.ru/wp-content/uploads/2017/11/933.jpg
https://tererai.org/wp-content/uploads/2014/07/teacher-with-kids-writing-onthe-floor.jpg
https://loveincorporated.blob.core.windows.net/contentimages/gallery/612ed483-7c86-4788-a10e-c89747680cee-
hotel.jpg
https://www.perkamkopa.lv/i/gallery/29/88429.jpg
http://almy-travel.ru/upload/resize_cache/iblock/35d/920_600_2/35d03901e1c149bb5ed908ba14be8ff6.jpg
http://karasew.ru/images/cirk/l_chugunova/l_chugunova-26.jpg
http://itd1.mycdn.me/image?id=872101648222&t=20&plc=WEB&tkn=*g3BLgJKe_YAInqGj2V7ttNZt3nk
https://i.ytimg.com/vi/JCZhHyU1QgY/maxresdefault.jpg
https://cloudstatic.eva.ru/eva/40000-50000/48847/channel/Fotolia_62426421_Subscription_
Monthly_M_68628612936934186.jpg?V
http://vsezavisimosti.ru/wp-content/uploads/2018/02/kak-pivo-vliyaet-na-potentsiyu-muzhchin-1.jpg
https://radost-gizny.ru/wp-content/uploads/2018/12/b69a423762691027f425d051d4f9923f.jpg
https://komarik.co/wp-content/uploads/2017/07/malish-el-sam.jpg
http://mastertours.ru/wp-content/uploads/2017/06/Rayonyi-Stambula-2.jpg
https://guruturizma.ru/wp-content/uploads/2016/12/rim.jpg
https://c.wallhere.com/photos/57/70/paris_france_building_eiffel_tower-572557.jpg!d
http://msk.fotooboi-na-steny.ru/wp-content/uploads/2017/10/thumb_l_1951.jpg
https://im0.kommersant.ru/Issues.photo/MONEY_Online/2016/02/12/KMO_100749_00273_1_t222_120534.jpg
https://cdn-tn.fishki.net/20/preview/2629595.jpg
http://zdorovaya-life.ru/wp-content/uploads/2017/09/salon-krasoti.jpg
http://skazo4naya-strana.ru/wp-content/uploads/2014/10/hMeZn3sPQKw.jpg
http://84.r.photoshare.ru/00844/0080e400dc919fa0c61c7828673a28fbcadf8122.jpg
http://www.playcast.ru/uploads/2017/10/03/23571477.png
https://brilliantnurse.com/wp-content/uploads/2017/02/blood-1761832_960_720-1.jpg
http://tips-ua.com/img/a/2/a245f71b422b9af91bd06d3535f2dc03.jpeg
http://cdn.a4y.biz/pics/2015-03-15/418294-c51ce410c124a10e0db5e4b97fc2af39.jpg

ВЫ МОЖЕТЕ ПРИОБРЕСТИ ЭЛЕКТРОННЫЕ ВЕРСИИ НАШИХ КНИГ В ИНТЕРНЕТ-МАГАЗИНАХ И В ЭЛЕКТРОННЫХ БИБЛИОТЕКАХ:

«ЛитРес»: http://www.litres.ru/zlatoust
«Айбукс»: http://ibooks.ru
«Инфра-М»: http://znanium.com
«Интеракт»: LearnRussian.com, amazon.com, book.megacom.kz, book.beeline.am, book.beeline.kz
РА «Директ-Медиа»: http://www.directmedia.ru
Amazon: www.amazon.com
ООО «ЛАНЬ-Трейд»: http://e.lanbook.com, http://globalf5.com
ОАО ЦКБ «БИБКОМ»: www.ckbib.ru/publishers

Форматы:
Для ридеров: fb2, ePub, ios.ePub, pdf A6, mobi (Kindle), lrf
Для компьютера: txt.zip, rtf, pdf A4, html.zip,
Для телефона: txt, java

КНИЖНЫЕ ИНТЕРНЕТ-МАГАЗИНЫ:

OZON.RU: http://www.ozon.ru

Интернет-магазин Books.ru: http://www.books.ru; e-mail: help@books.ru
   Тел.: Москва +7(495) 638-53-05, Санкт-Петербург +7 (812) 380-50-06

BookStreet: http://www.bookstreet.ru
   Тел.: +7 (812) 326-01-27, 326-01-28,
   Санкт-Петербург. В.О. Средний проспект, д. 4,
   здание института «Гипроцемент».
   Часы работы: понедельник — пятница: с 9:00 до 18:30.